川勝平太 編

海から見た歴史

ブローデル『地中海』を読む

増補新版

網野善彦　石井米雄　鈴木 董
二宮宏之　浜下武志　家島彦一
山内昌之　I・ウォーラーステイン

藤原書店

新版への序——歴史観革命

川勝平太

二十世紀の最高の歴史家の一人フェルナン・ブローデル（一九〇二—八五年）が鬼籍に入って今年（二〇二〇年）で早や三十五年になる。ブローデルの主著『地中海』の邦訳で翻訳賞に輝いた浜名優美氏も今年二月に天に召された。本書には九人の歴史家が登場するが、日本史の網野善彦氏（二〇〇四年没）、フランス史の二宮宏之氏（二〇〇六年没）、東南アジア史の石井米雄氏（二〇一〇年没）、世界システム論のイマニュエル・ウォーラーステイン氏（二〇一九年没）等とも幽明境を異にすることになり、もはや語りの名手でもあった彼らの謦咳に接することはできない。彼らの残した研究はアカデミックな光芒を放っている。本書の特色は、いずれおとらぬ名文家でも知られた碩学の歴史観が生き生きとした話し言葉のままに記録されていることである。

本書の内容は「歴史観革命」と形容された。何をもって歴史観の「革命」というのか。あらためて顧みれば、大きく五点ほどあげられる。

第一点は、ブローデルの『地中海』の「海から見た歴史」の革命性である。この点については、本書で縦横に論じられ、『地中海』がそれぞれの歴史家の学問人生に刻印したインパクトが語られており、贅言は控える。

第二点は、海洋世界の本来的な「無主性・非排他性」の新鮮さである。陸地の人間社会の特色は排他的（exclusive）であり、「閉鎖系の領邦国家」の興亡が常態である。それに対し、海洋――特にアジア海域――は、排他的支配になじまない無主の世界であり、非排他的（inclusive）で、「開放系のネットワーク」の連鎖として世界史に登場した。それは瞠目すべき新知見であった。海洋アジアのキーワードは「平和な交易」であった。本書第Ⅲ部の「総合討論」からいくつかの関連発言を拾ってみよう。

＊日本沿海――網野善彦氏「日本の場合、海軍が強くなるのは近代以降だと思います。……巨大な武装をした軍船は、信長が造ったことがありますけれども、結局、定着はしていません。……紛争がおこった場合、どこで処理されるのかというと、公権力、国家権力はほとんどかかわっていないと考えられます。おそらくは海を中心とした流

通路の商人、金融業者によるネットワークがあり、これには、海賊と言われる武力集団、海の領主がかかわりをもっています。ですから契約に違反したときには、こうした人びとが武力を行使して、これを処理することが行なわれていたと思います。このように海は契約の舞台になっているのです。……本来、海に生きた人たち自身がつくりだそうとする秩序は、ややこだわりますけれども、基本的には平和な契約で、それが破られたときに多少の武力が行使されるという性格の秩序ではなかったか、と思います」。

＊東・南シナ海——浜下武志氏「朝貢関係という枠組は、一方では重商主義的に交易の利益を中央財政に吸収する形をとりながら、海を跨った両側の地域の交易に利益を分配したと言いますか、持てる中国が周辺地域に対して、ある程度、双務的な交易関係を保障してきた歴史であり、それが長いあいだ機能していたわけです」。

＊東南アジア——石井米雄氏「東南アジアでは、レパントの海戦のような海戦で制海権を争ったことはないのではないでしょうか。インドネシアのブギス人の話などを聞いていると、契約とか、条約とかが重視されています。そこは互いに約束さえ守れば平和に通商できるという世界だったと思うんです」。

＊インド洋・アラビア海——家島彦一氏「私はとくにアラビア語の史料を使って、イン

ド洋、アラビア海の船の問題、交易の問題をあつかっていますが、不思議なことに、十五世紀末にポルトガル人が喜望峰を回ってインド洋に入ってくる以前において、大きな海戦と言えるような記録史料にほとんど出会わないのです。……アラビア語史料では、海というものは、国家・王権の支配する場ではなく、アーダ（慣習法）と契約関係の支配する自由交流の世界であると説明されています。したがって契約なり慣習法が破られたときに問題が起こり、守られているときには平和な海であったのです」。

＊東地中海――鈴木董氏「オスマン朝の海軍の場合も、確かに十五世紀から海軍が少しずつできていきますが、当初は大きな海戦はあまりやっていません。その頃の仮想敵国はジェノヴァとヴェネツィアでした」。

等々である。ヨーロッパにおけるアラビア語のラテン語への大翻訳時代は「十二世紀ルネサンス」（ハスキンズ、伊東俊太郎）と言われ、以来、ルネサンスの時期にはイスラム教圏の文物（科学・技術・文化・思想・世界観等）が様々な物産とともにキリスト教圏に流れこんだ。それらを枚挙すればきりがない。

そのうちの一つに「治外法権」として知られるものがある。「治外法権」は幕末日本の安政開港における欧米列強から押し付けられた不平等条約とみなされてきたが、その淵源はトルコ帝国が異教徒に施した恩恵「キャピチュレーション」である。

これに関して、鈴木董氏は総合討論の中で触れている――「イスラム法上、異教徒と戦争をやっていないときに、異教徒の世界に住む異教徒とイスラム世界にいるムスリムが交渉するルールがあり、そのルールはかなり厳格にイスラム法で規定されています。……その際には、基本的にはムスリム側が、恩恵として、ある特定の異教徒に対してある特権を与える、という形をとります」と。すなわち、オスマン帝国がキリスト教徒のヴェネツィアなどに与えたのがキャピチュレーションであり、これが治外法権の淵源である。優位はヴェネツィア側にあるように見えるが、実態は逆で、オスマン帝国が異教徒を見下して与えた恩恵である。優位に立っていたのは与えた側のオスマン帝国であった。

物事の本質はその始まりにあるが、「海洋アジア」は近代文明の母胎である。そこには「平和な交易」を維持するための「自生的な秩序」が機能していたのである。

第三点は、近代世界の勃興期に占めた「東南アジア」の意外なほどの重要性である。ブローデルを重鎮としたフランスのアナール学派に詳しい二宮宏之氏は、本書の総合討論の場で、「今日の参加者のなかでは、ヨーロッパを専門にやっておりますのは私だけで、キリスト教ヨーロッパはだいぶ分が悪いんですが（笑）、所有権とか主権とかということを言い立てまして、平和な海を乱しているようでありあります（笑）」などと苦笑しながら感想を浚らした。

反対に、存在感を見せつけたのは「海洋アジア」と総称できるインド、イスラム、トルコ、なかでも東南アジアの海域であった。東南アジアに浮かぶフィリピンは世界で最も多くの島々からなり、インドネシアはそれに次ぐ島数をもつ。東南アジア海域は世界最大の多島海である。

本書に登場する歴史家の専門領域を地域で分けると、西からヨーロッパ史、イスラム史、トルコ史、インド史、東南アジア史、中国史、日本史となる。近代日本における歴史学の分野で、研究蓄積の多寡でいえば、もっとも多いのは日本史と西洋史でほぼ並んでおり、中国史がそれにつづき、ついでインド史、イスラム史、トルコ史、比較的に研究蓄積の少ないのが東南アジア史である。

東南アジアは多様性に富む。ヴェトナム（大越国、南越国）のように漢籍史料を使える地域もあれば、主に碑文に頼らざるを得ないミャンマー（ビルマ、旧パガン）のような地域もあり、その歴史研究は困難である。フィリピンには十六世紀以後はスペイン語史料、インドネシアには十七世紀以後はオランダ語史料、マレーシアではアラビア語史料、独立を保ったタイにはタイ語史料、その他、マレー語、クメール語、ジャワ語、ブギス語、パーリ語等々の史料がある。「東南アジアの文献史学を本格的にやろうと思えばかなりの言語負担を覚悟する必要」（石井米雄「文献学としての東南アジア史」『東南アジア学』第一巻、弘文堂、一九九〇年所収）があるのである。そうした困難さもあって、東南アジア史の研究は日本では他の地域と比べると新しい分野である。

そのことは東南アジアが他の地域世界の形成に果たした役割が小さかったということではない。逆である。その役割はきわめて大きかった。実際、本書新版の「続・エピローグ」でも論及するが、「近代世界システム」の出現の淵源は東南アジア海域にあったと論じることもできる（拙稿「東南アジア――近代文明の母胎」『資本主義は海洋アジアから』日経ビジネス人文庫、二〇一二年所収）。東南アジア地域は近代世界においては西洋諸国の植民地――タイ（シャム）を除く――になったが、戦後の存在感はＡＳＥＡＮ（東南アジア諸国連合）の堅実な成長に見られるように高まっており、さらに強まっていくものと予想される。

東南アジアの海域世界について、先ごろ、興味深い学問上の慶事があった。宮中恒例の「講書始の儀」において、東南アジア学の立本《たちもと》成文氏（当時、地球環境学研究所所長）が「海洋アジア文明交流圏」（『天皇皇后両陛下が受けた特別講義』ＫＡＤＯＫＡＷＡ、二〇二〇年所収）と題して御進講をした。立本氏は「陸のシルクロード」に対して「海のシルクロード」を対置し、前者をイエローベルト、後者をブルーベルトと名付け、ブルーベルトに展開した世界を「海洋アジア文明交流圏」と名付け、その中心は「東南アジア文明交流圏（海域世界）」

であった、と論じている。

第四点は、「アジア経済史」という新しい分野を拓いたことである。近代日本の歴史学は、明治期にランケの弟子のドイツ人歴史家リースがお雇い外国人として、後に教科書で「世界史」と名づけられた西洋史を講じたのが嚆矢である。それとならんで、日本語史料を用いる国史（日本史）、漢籍史料を用いる東洋史（シナ史）、この三つの歴史がタコツボ的に鼎立する時代が長く続いた。

本書旧版はそれまでのタコツボ的な歴史研究を打破するものであった。先駆的には一九八九年の社会経済史学会の全国大会で話題を呼んだテーマ「アジア域内交易（十六―十九世紀）と日本の工業化」をあげなければならない。日本の発展が近世アジアの交易世界に胚胎するというテーゼを提起した大会報告である。それは書籍化された（浜下武志・川勝平太編『アジア交易圏と日本工業化』リブロポート、一九九一年。新版藤原書店、二〇〇一年）。日本語の本であるにもかかわらず、その内容の斬新さが注目されてイギリスの『タイムズ』紙が書評にとりあげた（*Times Literary Supplement*, 27 September 1991）。

そのテーゼは経済史の国際大会でもとりあげられることになり、英語圏でも知られるようになった（A. J. H. Latham & H. Kawakatsu eds., *Japanese Industrialization and the Asian Economy*, Routledge,1994. Repr. Routledge Paperback, 2014）。以来、本書旧版における「アジア海域にお

ける交易とネットワーク」にかかわる議論は「アジア域内交易」（レイサム、浜下武志）、「アジア間貿易」（杉原薫）、「アジア間競争」（川勝平太）などのキー・コンセプトに凝集し、国をまたぐ「地域としてのアジア」の研究が内外で盛んになった。今日では膨大な内外の研究文献の整理が必要とされるまでになり、「アジア経済史」は定着したのである（水島司・加藤博・久保亨・島田竜登編『アジア経済史研究入門』名古屋大学出版会、二〇一五年）。

第五点は、ブローデル『地中海』の一大特徴である「環境」への着目が端緒となって、全体史ないし地球史――最近の用語では「グローバル・ヒストリー」――を先取りしたことである。グローバル・ヒストリーは今世紀の歴史学の新潮流であり、関係書目が多くなった。つまり地球史ないし環境史の視点に立つ歴史家が多くなったのである。それらのうち、水運の実証的な経済史研究の地平からグローブ（地球）へと飛翔し、「青い水」という視点から地球を俯瞰する研究に歩みを進めた異色の一冊をあげておこう。徳仁親王『水運史から世界の水へ』（NHK出版、二〇一九年四月）である。

『水運史から水の世界へ』は、天皇即位（二〇一九年五月）の直前に公刊され、四十年間の研究成果が講演の形でまとめられたもので、学術的香りのある良書である。古代・中世の京都を物資の集散地とする西からの淀川水系、東からの琵琶湖水系の水運の研究、中世後期の瀬戸内海の水運ネットワークの研究、近世における利根川流域の関東地方に整備された水系の研究、同時期のイギリスのテムズ川・運河網の水系システムによって運ばれた物流の研究、そして水運による物産の流れから、淡水・海水からなる「水の地球」における水そのものの流れのもたらす恵みと災害へと視点は高みに飛翔していく。

地球のダイナミズムを「水」のグローバルな循環という観点から俯瞰すると、人類は「青い地球＝水」を不可欠とし、海を共有していることに気づかされる。

本書の旧版を振り返ってみると、期せずして、そうした様々な歴史研究の新地平を開く道標になったように思う。出版当初からのそのような予感が「歴史観革命」という形容を生んだのであろう。

さて、人類社会は近世初期に水運による東西の文物の交換・融合でグローバルなネットワークを築いたが、十六世紀の人類社会の中心海域は、地中海というよりも、「海洋アジア」であった。「大陸アジア」には古くから国家によって様々な法制度が整備されたが、海洋アジアには、法制度があったわけではない。だが、そこでは様々な民族によって平和裡に契約・約束・慣習などにもとづく交易がなされていた。海洋アジアで交易に従事した人々は、異民族同士であっても、平和の秩序が確保される、いわば「自生的秩序」をつくりあげていたのである。

しかし、十六世紀から次第に海洋アジアの自生的秩序は解体への道をたどった。それは特にユーラシアの西端からヨーロッパ諸民族が参入してからである。海洋アジアでは、しだいに排他的なシー・パワー（sea power）の潮流が勢いを増した。イスラム勢力に「我らが海」（ローマ時代の地中海の形容）を奪われたヨーロッパ社会は「土地を生産手段とする封建社会」を長く経験した。封建社会の「閉鎖系な領邦」で培われた排他性を特徴とするランド・パワー（land power）がシー・パワーに転じて「開放系なネットワークの海の世界」を浸食していった。

十七世紀初期、『戦争と平和の法』（一六二五年）によって国際法の父と言われるオランダの法学者グロティウス（一五八三―一六四五年）は『海洋自由論』（一六〇九年）を著し、貿易・航海の自由を主張した。しかし、しだいに制海権の思想が強まり、「領海」が法制化され、「排他的経済水域」が公認される国際海洋法の制定となって今日に至っている。現代日本では、北方四島・竹島・尖閣諸島は、例外なく、海域支配をめぐる争いの場である。現代の地球の海は無主ではない。

なぜ、そうなったのか。振りかえれば、日本が、「鎖国」を開き、海洋世界に改めて雄飛しようとしたのは明治期であった。当時の西洋の列強は帝国主義政策を推進し、世界の七つの海を支配したイギリスを先頭に海洋帝国へと変貌しつつあった。十九世紀末、西洋では、新興のアメリカ合衆国はカリブ海を支配していたスペインに対して戦争をしかけて勝利し（米西戦争、一八九八年）、カリブ海もスペインの植民地であったフィリピンも領有し、併せてハワイを合併（一八九八年）して太平洋に橋頭堡を確保した。一方、東洋では新興の日本が、琉球王国を領有し（一八七九年）、つづいて一衣帯水の清国とロシア帝国と朝鮮半島をめぐって日清・日露戦争をおこして勝利し、台湾と南樺太を獲得し、海洋支配への姿勢を強めた。米西戦争も日清・日露戦争も帝国主義の潮流に棹さした戦争である。日露戦争が避けられなくなった時、つぎのような歌が詠まれた——

よもの海　みなはらからと思ふ世に　など波風のたちさわぐらむ

明治天皇の右の御製は、昭和天皇が日米開戦の回避を願い、御前会議の場で閣僚陸海軍首脳の前で詠まれたことでも知られる。

宇宙空間から見た地球は青い。それは海の色である。青い海は、本来、無主である。海を争いの場にせず、いかにして「平和の海」を取り戻すことができるのか。

物事の本質はその始まりに胚胎している。本書は、海が世界史の舞台に登場し、海から歴史を見ることが不可避となった十六世紀の海洋世界を主に扱っている。当時の海洋アジアには「平和な交易」を許容する「自生的秩序」があった。それは現代に生かしうるのであろうか。改めて、近代文明の生成の原点に立ち返り、海から世界の歴史を見直すべく、ここに新版を上梓する。なお、新版はこの「新版への序」、つづく「『地中海』とは何か」、末尾の「続・エピローグ」を増補した。あとは旧版のままである。

二〇二〇(令和二)年　重陽の日

海から見た歴史

〈増補新版〉

目次

第Ⅱ部　海から見た歴史

〈増補新版〉

海から見た歴史

ブローデル『地中海』を読む

『地中海』とは何か

川勝平太

環境と文明と戦争

フランスのフェルナン・ブローデル（一九〇二―八五年）はベルギーのアンリ・ピレンヌ（一八六二―一九三五年）とともに二十世紀最高の歴史家と評価されている。二人の碩学の世界史を見る目は骨太であり、しかも、その歴史観に共通性がある。ピレンヌは『マホメットとシャルルマーニュ』（ピレンヌ『古代から中世へ』創文社、一九七五年）などで、イスラム教勢力の地中海への侵入により欧州は陸地に封じこめられ、土地に経済基盤をおく中世封建時代に入ったと説いた。ブローデルは『地中海』（一九四九年刊、原題は『フェリペ二世時代の地中海と地中海世界』）で欧州がオスマン帝国をレパントの海戦で打ち破ってのち、地中海の制海権を確立し、近世資本主義への出口を切り開いていく様をダイナミックに描いた。二人はともに地中海を視野におさめていたのである。

地中海世界でのイスラム教圏とキリスト教圏の両勢力の覇権の交代をもって、ピレンヌはヨーロッパ世界の古代から中世への大転換、ブローデルは中世から近世への大転換を描き出した。キリスト教圏とイスラム教圏はメダルの両面であり、両者の関係を見定めて初めて、ヨーロッパに勃興した近代文明の本質が見えてくるのである。

ブローデルは第二次大戦中にドイツ軍の捕虜となった。『地中海』の原型は、収容所の中で、参考書も資料もなく、記憶だけで書き進められたものである。戦後、ブローデルは『社会・経済史年報』（通称『アナール』）を舞台に、アナール学派の中心的存在として活躍するが、『アナール』創刊者の一人マルク・ブロックはパリ解放直前、ドイツの銃弾に倒れた。ブローデルが明日の命の保証のないなかで書きつづった『地中海』の冒頭の一文――「私は地中海をこよなく愛した」――からは、暗い収容所で光に満ちた地中海を思い描く青年ブローデルの情熱的憧憬が吐露されている。

『地中海』は「海」が主体である。陸から海に船出した歴史の名著である。地中海は単なる客体としての自然環境ではない。そこに生きている人間がおり、主体－環境系が一体であり、海は擬人化されているようにも見える。地中海に人間の息吹を注ぎ、地中海世界と人間とをともにとらえようとするブローデルの手法は、人間中心、個人中心の既存の歴史学からの決別でもあった。

ブローデルは、気候・地形など緩やかに変わる環境（超長期）の歴史、人間集団がつくりだす文明・経済・国家・社会の歴史（長期の持続）、そして戦争のような個別のできごと（短期）の歴史という、三層の歴史・時間軸を独創した。

民俗学と生態史観

現在、国内外で愛読されている『地中海』は第二版（一九六六年刊）にもとづく。邦訳版（浜名優美訳、藤原書店、五分冊）は一九九一―九五年に出た（その後、普及決定版として二〇〇四年刊）。つまり『地中海』が日本人の「知的資産」になったのは、一九九〇年代である。

一方、『地中海』はすでに一九七〇年代、西洋世界では「名著」としての地位を確立していた。私は一九七七年に英国オックスフォード大学に留学したが、留学直後の学長との面談で、「歴史を専門にしています」と言うと、「ブローデルの『地中海』をどう思いますか」という質問が返ってきた。一瞬、面食らった。恥ずかしいことに、著者名も書名も知らなかったからである。その折り、『地中海』は、大学の歴史家はもとより、人文系の学者の間ではいわば常識になっていることはじめて知らされた。すでに英訳版はペーパーバック二冊本で、その五年ほど前に刊行されており、多くの読者を獲得していたのである。その日のうちに書店に走り、買い求めてウルフソン・カレッジの一室で熟読したことは今では懐かしい思い出である。

一九七八年夏、全世界の経済史家があつまる国際会議（イギリスのエディンバラ、当時は四年に一回）の開会式では、招かれたブローデルには特大級の賛辞がおくられ、万雷の拍手が会場にこだました。その当時、日本の西洋経済史の世界ではブローデルの名前はほとんどとりあげられることはなかった。欧米の学界動向に敏感なはずの日本において、『地中海』が知られるのが大きく遅れたのはなぜだったのであろうか。

『地中海』は、原題に「フェリペ二世時代の地中海と地中海世界」とあるように、十六世紀後半（フェリペ二世＝スペイン最盛期の絶対君主）という時期が中心テーマである。それはまさに、戦後日本の経済史の最大のテーマ「封建制から資本主義への移行期」にあたっている。にもかかわらず、わが国で注目されなかったのは理由がある。

まず、当時の日本の西洋経済史の主流はマルクス主義経済史であり、『地中海』はマルクスの階級闘争史観とは無縁である。また、『地中海』は第Ⅰ部が「環境の役割」である。

その中身は風土、地理、気候など日本人になじみ深い分野でいえば、民俗学と生態史観である。それは、唯物史観のマルクス主義者がもっとも敬遠した分野であった。

とはいえ、ブローデルの手法は、民俗学の柳田国男と生態史観の梅棹忠夫がそれぞれ牽引《けんいん》した日本の民俗学、民族学のそれとはまったく異なる。柳田民俗学は各地の民間伝承を拾い集めたが、いつの、だれの話なのか特定しにくい。これに対して『地中海』は、柳田国男と同じように、たとえば「山の民」「野の民」を軸に据えるときも、伝承によるのではなく、それを特定の人間の特定の日付の手紙・語りなどによって裏付けながら克明に描きあげるのである。ブローデルにとって史料的裏付けのない事実はない。無数の細密画がモザイクのように組み立てられて全体像を結んでいるのである。

また、梅棹の生態史観は、乾燥地帯と湿潤地帯の関係をモデル図で単純化したが、『地中海』は詳細な観察記録を、これもまたモザイクのように入れ込んでいる。たとえばアラブの「熱い砂漠」とトルコの「寒い砂漠」とでは、生息するラクダが異なる。前者では主に暑さに強いひとこぶラクダ、後者では寒さに強いふたこぶラクダが生息している。それが両者の地中海地域とのかかわり方の違いになり、アラブは北アフリカに進出できたが、トルコは難しかったのである。その事情を細かく例証する。

近年、唯物史観の影は薄れ、生活史や環境史が注目されている。『地中海』は、それを先取りしていたのである。

陸・空・海と人間

『地中海』の第Ⅰ部の主題である環境（地理・気候など）、第Ⅱ部の集団（経済・帝国・社会・文明）、第Ⅲ部の出来事（主に戦争）には、それぞれ超長期、長期、短期の三つの時間軸が対応する。

まず、第Ⅰ部をひもといてみよう。ブローデルの独創は、第Ⅰ部の「超長期」という時間軸の設定である。地理や気候を語るなかで人間模様が随所に描き込まれ、地中海世界は無数の人間がうごめく、あたかも一大絵巻のごとき全体性と永続性をもって立ち現れるのである。

本来、人を描けば変転きわまりないはずである。それが「地理的時間」「超長期」などといわれるのは、環境に深《ふか》ぶかと抱かれた各地方の人々の日常は同じように繰り返されており、生活の営みそのものは変わりにくいためである。しかし、そこにも変化の兆しが巧妙に織り込まれている。大きな変化の予兆をはらんだ緩慢な反復である。一見、反復のように見えながら、その実はごく小さな変化が積み重ねられているのである。「（歴史は）十六世紀末から変わり始める」というブローデルの見通しが、「超長期の地理的世界」を舞台装置としてほのめかされる。

ブローデルは周囲から隔絶され慣習など古い体質が残りやすい山岳部の生活から説き起こし、台地、高原、平野、沿岸へと、すなわち山から海へと視点をゆっくりと移していく。「陸の地中海」においては人々の複雑な移動が繰り返されるが、収束の方向性が海であることは明確に見えている。人々は、経済力の乏しい山をしだいに離れて、海の方へと向かっているのである。沿岸部などの都市の機能を維持させるこの人口移動こそが、全体を貫く基軸になっている。

つぎは海かと思いきや、一転して「空の地中海」が登場する。テーマはいわゆる穏やかな地中海性気候ではない。その反対であり、むしろ厳しい自然条件や、そのなかでの人間の生きざまである。地中海は、夏はサハラ砂漠の乾燥の影響を受け、冬は大西洋からの雨の襲来に苦しめられる。ことに冬の三か月は厳しい。海は荒れ、戦争さえ休止を余儀なくされる。それは、欧州がイスラム教勢力をしのいで地中海の支配権を確立する契機となったレパントの海戦（一五七一年十月）が、なぜ冬を避けるべく急がれたのか、その事情が「空の地中海」にあることを物語るための背景であり、絵柄の額縁なのである。

以上のような額縁のもとに描かれる圧巻は「海の地中海」である。島々、海峡など海の個性が細密画のように立ち現れるが、照準はイタリア半島を堤防に見立てた西地中海と東地中海の違いである。東地中海はイスラム教圏であり、西地中海はキリスト教圏である。両者の出会う場はおのずと定まる。それぞれの影響力のフロンティアである。その場でおこる戦争に照準が絞られていくのである。ブローデルは言う――「この二つの地中海（東地中海と西地中海）は、物理的にも、経済的にも、文化的にも異なる」と。こうさりげなく述べながら、レパントの戦いを含む十六世紀の大海戦が、この二つの海の境界周辺で繰り返された背景（東地中海では支配的だったイスラム側と西側で優勢なキリスト教勢力の相克）に迫っていくのである。

近代文明の母胎

つぎに第Ⅱ部に読み進んでみよう。『地中海』第Ⅱ部においてブローデルは「集団（経済・帝国・社会・文明など）」に主題を移す。ブローデルの叙述は史料をして語らしめるスタイルであって、決して論争的ではない。ところが、第Ⅱ部のスタイルは異なる。第Ⅱ部の論述に秘められた目的は十分に論争的である。

十五世紀末、コロンブスが大西洋航路を発見し、バスコ・ダ・ガマが喜望峰経由のインド洋航路を開いた。その結果、十六世紀には、大西洋とインド洋を結ぶ世界経済が勃興《ぼっこう》し、地中海は世界史のひのき舞台から退場した。これが通念であろう。ところが、その通念は大歴史家ブローデルによって、ことごとく崩されていくのである。

ブローデルは、第Ⅰ部ではフランスの人文地理学の伝統を歴史叙述に援用したが、第Ⅱ部では第二次大戦後の「新しい経済史」として注目された「数量史」の成果を取り込んでいる。地中海はひとつの経済圏ではなく、各種の貨幣が流通する大小の経済圏の集合であり、データもふぞろいであり、断片的でもある。その断片的なデータをつなぎ合わせて全体像に結晶させていく手腕は見事というほかない。

一五〇〇年からの百年間に地中海地域の人口は、キリスト教圏でもトルコ・イスラム圏でも二倍になった。それだけでも経済の拡大を示すのに十分であり、それは歴史人口学による裏付けである。だが、ブローデルの目配りははるかに広く、小麦の生産高・取引量や物価動向、金銀の流通量、貿易量、交易ルートの拡大、船舶数など各種の数量データが次々と提示される。地中海経済が変動を伴いながら全体として拡大していくさまがくっきりと浮き彫りになっていくのである。

中世から近代への移行は、質的世界観から量的世界観への移行であることは銘記しておくべきであろう。数量史は登場するべくして登場したのである。質的世界から量的世界へとむかうのは近代への胎動である。その歴史過程に応じ、経済史の領域として「数量経済史」は登場してきた。この新しい学問の潮流をとりこみ、ブローデルはそれを積極的に活用して数字・数量をして語らしめるという手法をとったのである。

新大陸で略奪された膨大な金銀は、大西洋からイベリア半島（セビリア）、イタリア（ジェノヴァ、ヴェネツィア）を介して東地中海沿岸（レバント）に流れこみ、その見返りに香辛料など東方の物産が地中海に流れこんだ。地中海は衰えるどころか、大西洋とインド洋を媒介する要として、域内における格差の拡大を伴いつつも、都市に繁栄をもたらしていたのである。

地中海の都市経済は、商業から産業、産業から金融へと段階的に発展した。それはアルプス以北の経済圏（オランダ、英国、ドイツなど）における十七―十八世紀の商業資本主義、十九世紀の産業資本主義、十九世紀末からの金融資本主義の歩みを先取りしていたのである。いや、地中海の都市経済の経験こそが、北の経済圏のモデルなのであって、かつてギリシャ文明がローマ文明の母胎となったように、地中海文明はアルプス以北の近代文明の母胎になったことが論じられる。

十六世紀地中海は世界の文明の中心として輝いていた――これがブローデルのパッションに裏打ちされ、十分な説得力をもって響き渡る高らかなる主張である。

帝国の光と影

その一方で、『地中海』第Ⅱ部には、右の「マンダラ図」さながらの金銀で飾られた十六世紀地中海文明の繁栄にあわせて、『平家物語』の叙事文学さながらに、連綿と打ちつづき止めることのできない衰退の情景も同時に絵巻のように描き込まれている。なぜ地中海文明は衰退したのであろうか。輝く太陽もエクリプス（蝕）をこうむる。繁栄の真っただ中における衰退へのきざし、これが全篇にひそむ通奏低音である。

経済成長は政治的覇権を強大にした。それは地中海両端に二つの帝国――スペイン帝国とオスマン帝国――を生みおとした。そして、両帝国は十六世紀に最盛期を迎えたのである。巨大な二つの帝国を、ブローデルは、大小様々な王国・都市・民族の寄せ集めからなる「怪物的集団」とよぶ。二つの怪物の同時隆盛は偶然の産物ではない。

経済発展と人口増加に伴い、入植が進んで、村や町の数が増えた。巨万の富はイスタンブールやマドリードで蕩尽《とうじん》された。国土は広大となり、官吏はいくら増やしても足りなくなった。抜け目のない商人は徴税請負人となり、権力に食い込んでいった。

商人は、帝国の財政が悪化すれば、気前よく金を貸した。商人は貴族にあこがれる。王は寛大にも爵位の数を増やし、貴族は特権を商人に転売する。成りあがり貴族が急増した。

世界史上、称号獲得熱はスペインに始まったともいわれる。成りあがり者は本物の貴族を誇大にまねたのである。

両帝国においては、それが絢爛《けんらん》たる芸術の開花をもたらしたが、その裏面においては、国家財政は商人に左右されるようになっていた。帝国内部の規律がゆるみ、腐敗が進む。君主は権力を金でそぎ落とされていき、権威ばかりの存在になっていく。巨大な帝国が内部崩壊の坂道を転げ落ちていく。後戻りできなくなった過程を、ブローデルは「大きな国家の病」と呼んだ。

病み始めたのは国家だけではない。社会には貧富の格差が広がり、うっ積した不満の行き着く先の暴動は地中海世界の日常茶飯事となった。

君主の宗教的熱病もやみがたい行動をはらむ。神聖ローマ皇帝を兼ねたスペイン国王カルロス一世（カール五世）は、カトリック教徒の政治支配者としてキリスト教の「世界君主国」建設の理想に燃えた。しかも王位を継いだフェリペ二世には「興奮の極みに達した宗教的情熱」があった。

一方、オスマン帝国では、セリム一世にも宗教的執着があり、スルタン（君主）＝カリフ（イスラム教徒の最高指導者の地位）制の先駆者になったという伝説も残っている。両者は相似形である。

十六世紀地中海の両端には、宗教的不寛容の波もまた共時的に互いに共振しながら到来していた。両帝国の激突を、いったい、だれが止めることができたであろうか――歴史家ブローデルの哀惜とも諦念ともつかぬ深い吐息が行間から聞こえてくるように思うのは、読者の錯覚ではない。

宗教的情熱と戦争

『地中海』第Ⅱ部の締めの主題は「戦争」である。ブローデルは戦争を「文明」の枠組みのなかで論じている。戦争は野蛮であり、文明の対極にあるものではないのか。こうした疑問も浮かぶであろう。だが、ブローデルは堂々とこう答える――「平和的な文明は、同じくらい好戦的である」と。

「文明の働きとは光を放ち支配することである」とも彼はいう。十六世紀地中海のキリスト教文明もイスラム教文明も、世界を教育し、経緯や濃淡の差こそあれ近代文明の礎となった。その支配への道は不可避的に戦争を伴う。戦争が付随的に都市、港湾の整備、技術革新などを促したのである。その意味で、戦争は文明の一形態なのである。

十六世紀地中海で戦争が頻発したのはなぜか。ブローデルの目は宗教的情熱の行方に向けられる。ルターが新教運動の口火を切ったのが一五一七年であった。これに対し、ローマ教皇庁もスペイン王も旧教護持の使命感をたぎらせた（実際、極東の日本にまで旧教の宣教師を派遣したではないか）。この亀裂に乗じるように一五二九年、オスマン帝国軍はウィーンを包囲した。その戦法は多数の騎兵を伴い突進する攻撃型であり、キリスト教圏は執拗な攻撃にさらされたのである。

キリスト教圏の長い防衛線は要塞の連なりであった。ここに、戦争が文明の一翼を担うことになる格好の説明材料が見いだせるのである。要塞都市の建設と武器・物資の補給は、輸送法や土木・管理・会計など多様な技術の発展の基礎をもたらしたからである。

一方、スペインのフェリペ二世の軍隊は五百―六百隻のガレー船、十五万―二十万もの兵を擁した。その移動はさながら「旅する町」であった。要塞の維持費用を含め軍への出費は膨大な額にのぼった。攻撃に耐える兵士の不満も募っていった。これらの重圧に苦しんだ国王はやがて気づくのである――「攻撃こそ最大の防御である」。

要塞による守りから進攻へという戦略の切り替えである。こうして、「ジハード（聖戦）」を掲げるイスラム勢力に対して、キリスト教勢力が「十字軍」で異端を攻めるという構図が生まれたのである。それが新旧キリスト教徒の宗教的情熱に火を付けた。宗教的熱狂は結束をよみがえらせたのである。事態は急転直下、激変した。「出来事（戦争の展開など）」を扱う第Ⅲ部のクライマックス＝レパントの海戦に突入していくのである。

第Ⅰ部のゆったりとした長い序が、第Ⅱ部の最後に破られる。リズムが高まり、息遣いが激しくなる。日本の読者は『地中海』の三部構成が、三層の時間軸からなるとする常識的解説よりも、序・破・急という日本の能の呼吸（流れ）との不思議な近似に驚くことにもなる。

歴史の分水嶺

『地中海』の最後を飾る第Ⅲ部を繙いてみよう。第Ⅲ部はそれ自体で一書になるほどのまとまりと分量がある。その主題は「出来事（事件＝主に戦争の展開）」である。この第Ⅲ部は近代歴史学の手法で叙述される。第Ⅰ部では人文地理学が活用された。第Ⅱ部では社会科学が活用された。これらと併せて通観すれば、『地中海』は諸学総合の場になっており、言葉の正しい意味で「全体史」であることが知られる。そのことはもちろんブローデルに自覚されている。

ドイツのランケ（一七九五―一八八六年）が確立した近代歴史学は、出来事の因果関係を、史料の検証をしながら実証的に確定する学問である。ランケには、細部の出来事に全体をつかさどる神が宿っている、という信念があった。ブローデルの志向はまさに、この近代歴史学の知見を踏まえており、その手法は歴史家の王道である。

フランスの思想家ヴォルテール（一六九四―一七七八年）は、二百年以上も前に「キリスト教側の（イスラム教勢力に対する）大勝利であるレパント（ギリシャ）の海戦はいかなる影響も残さなかった」と述べた。ブローデルはそれを「出来事とは本来、塵のごときもの」と言い返す。どの塵を選ぶかは歴史家の意思次第である。ブローデルはあえて「レパントの海戦」を含む戦争にかかわる出来事を選択したのである。

戦争史（軍事史）が西洋の歴史学に占める地位は大きい。日本の書店と異なり、ヨーロッパの書店には政治史や経済史などと並んで戦争史（軍事史）のコーナーがあり、私は初めて訪れたイギリス最大の書店（大学町オックスフォードのブラックウェル）で、軍事史のコーナーの充実ぶりに感じ入った。そこには戦争史への偏見はまったくない。軍事史・戦争史は決して特殊分野ではない。

ブローデルは十六世紀後半の海賊や略奪を含むあまたの戦いをつぶさに分析している。そして、レパントの海戦こそ、それまでの古い戦争がそこに流れ込み、そこから新しい戦争が流れ出す結節点になったということを説得力ある筆致で描きだしたのである。

それでは、どのような意味で、レパントの海戦は脈々たる歴史の一大分水嶺となったのであろうか。それは、この海戦ののち、地中海から大戦争がほぼ消えたという意味においてである。以後の主戦場は北の欧州大陸となり、また西の大西洋になった。ではなぜ、地中海から大戦争がなくなったのであろうか。それはスペインもオスマン帝国も財政破綻に陥り、戦費に耐えられなくなったからである。このように論じてブローデルは、大戦争の衰退は地中海文明の衰退の予兆となった、と結論づけたのである。文明は、歴史というキャンバスに戦争と全く独立の軌跡を描くわけではない。「戦争は万物の母である」――この西洋古代の格言をブローデルは敷衍する――「戦争は万物の父であり、息子であり、数々の水源のある川であり、岸辺のない海である」と。

戦争を軸にダイナミズムが論じられるところに、近現代に至るまで世界を牽引してきた欧州文明の武力的特質が垣間見える、という感想をもつ向きも戦後日本の読者の中にはあるかもしれない。だが平和を希求する人間であることは、戦争から目をそむけることではないはずである。

文明の相克

『地中海』第Ⅲ部では、年・月・日を明示しつつ、幾多の「出来事」が追跡され叙述の俎上にのせられる。あたかも新聞記事を読みながら戦況に一喜一憂する思いになる。外交的駆け引き、裏切り、小競り合い、調停、海賊、戦争など、ありとあらゆる事件が報じられており、実名で登場する人間は多彩であり、人間の多様な動きはきわまりない。

焦点が絞られる大きな出来事は二つである。ひとつは、一五七一年十月七日のレパントの海戦である。もうひとつは、九八年九月十三日のスペイン王フェリペ二世の死である。フェリペ二世はネーデルラント（オランダなど）の統治者でもあったが、同地域の新教徒は反旗を翻した。しかしフェリペ二世は、その新教徒の抑圧より異教徒のオスマン帝国（トルコ）との戦いを重視した。それにかかわる史実が詳細に描かれているが、だからといってフェリペ二世に対する感情移入は皆無である。フェリペ二世が人生の最後を迎えたときの記述はこうだ――「この君主にとって、地中海という言葉は、明確な大問題や、明晰に構想された政策を意味したことはなかった。長い断末魔の苦しみは、地中海の歴史に属する大きな出来事ではない」（浜名訳を一部略、以下同じ）。冷たく突き放し、あっけなく結ばれるのである。

レパントの海戦の記述もそうである――「二つの艦隊は互いに相手を探し合い、十月七日の未明、レパント湾の入り口で出し抜けに出会った。……この衝突で、トルコ側は三万人以上の死傷者と、三千人の捕虜を出した。ガレー船の漕ぎ手として働いていた一万五千人の徒刑囚が解放された。キリスト教徒側は、十隻のガレー船を失い、死者は八千人、負傷者二万一千人を出した。戦場と化した海は、戦っている人々には、突如、人間の赤い血のように見えた」。

日本の読者は『平家物語』を想起するであろう。壇ノ浦の合戦が日本画の絵巻なら、レパントの海戦は油絵である。油絵には「おごれるもの久しからず」の無常観はまったくない。トルコの威光は消え「キリスト教世界の現実的な劣等感に終止符が打たれ、それに劣らず現実的なトルコの優位が終わりを告げた」と締めくくられるのみである。

焦点を定められながらも、このようにして描かれた無数の個人や出来事から立ち現れるのは、それらを超越した真の主人公である。すなわち、イスラム教圏に対峙するキリスト教圏である。キリスト教文明の優位が地中海で確立し、地中海の枠を超え、活動の舞台は拡大した。キリスト教文明圏が優位にたった歴史的発展のダイナミズムが始まる。その射程は驚くほど遠くまで届いている。

たとえば、炯眼の人士が「湾岸戦争、イラク戦争、アフガン戦争、ＩＳ（イスラミック・ステイト）とうち続くイスラム教集団と米英ほかキリスト教圏との戦いの淵源はレパントの海戦にあり」とつぶやいても、ブローデルはうなずくであろう。イスラム教世界とキリスト教世界との関係・確執はあざなえる縄のごとく構造的なものであり、おどろくほどその根は深い。「歴史の父」といわれるヘロドトスの『歴史』（岩波文庫）のクライマックスはペルシャ戦争であり、その戦争でギリシャが東方のペルシャ帝国に勝利したことがテーマになっている。同じように、ブローデルの『地中海』のクライマックスはレパントの海戦であり、イスラム教圏のトルコ帝国に対するキリスト教圏側の勝利がテーマになっている。それは決して偶然ではない。そもそも、ブローデルは第二次世界大戦の真っただ中、収容所の中で『地中海』の筆をおこした。だれが味方の巻き返しを願わずにおこう。戦争はブローデルにとって今そこにある、まぎれもない危機的現実だったのである。

＊　本稿は『日本経済新聞』の経済教室欄の「やさしい経済学　名著と現代」シリーズにおいて二〇〇七（平成十九）年六月一八日、一九日、二〇日、二一日、二二日、二五日、二六日、二七日の八回にわたって連載された拙稿「ブローデル『地中海』」に加筆したものである。

プロローグ

海洋史観への船出

川勝平太

鶴首されていたフェルナン・ブローデル（Fernand Braudel）の名著 *La Méditerranée et le Monde Méditerranéen à l'Époque de Philippe II*, 1966.（第二版）の翻訳が、浜名優美氏の苦心の訳業によって、五年越しに完成した。『地中海』（藤原書店、一九九一—九五年）である。それが日本の歴史学に対してもつ意義は、小さくないであろう。本書は、ブローデル『地中海』に触発された日本の歴史家が、訳業の完成を寿《ことほ》ぐために集い、世界史を海から見直そうという高い志をもっておこなった最初のささやかな共同作業（「シンポジウム——海から見た歴史」）の記録である。

『地中海』の意義

「私は地中海をこよなく愛した。……思うに、人々がながめ、愛することができるような海は、過去の生活において存在する最大の資料であり続ける」――ブローデルは『地中海』の初版（一九四九年）の序文の冒頭に、そう記している。『地中海』の意義は、何をおいても、世界の歴史に注ぐ眼を陸地から海洋へと移し変えたことであろう。

戦後日本人の歴史観は、後に述べるように、陸地史観であった。その代表格は唯物史観と生態史観である。陸地史観に濃く染めあげられてきた日本人にとって、原著出版後、半世紀近く経って出現した邦訳版の序文冒頭の一文は、はるばる海をわたってきた新鮮な沖の息吹である。ブローデルの文章は、洗練された表現のなかに深い情熱を秘めて綴られており、その芳醇な潮の香りを胸いっぱいに吸う者は、歴史観における静かな革命を経験するであろう。ブローデルの『地中海』は、内陸に根をもち土地に呪縛されてかたちづくられてきた従来の世界史像を一挙に時代遅れのものとなし、〈海〉に開かれた世界史像に変える力をもつ。それは革命的書物である。

日本語版完成に祝辞（本書に収録）を寄せられたウォーラーステイン氏をはじめ、すでに多くの歴史家がブローデルの海からの歴史に触発されており、歴史学には大きなうねりが生じている。そのすべてをここに紹介することはできない。紹介と論評だけで数巻の書物になるであろう。それは目下のところ新しい歴史学誕生のプレリュード（序奏）であるといえようし、まちがいなく現在進行中であり、さらに大きな波となって人びとの歴史を見る眼、世界を見る眼を洗っていくであろう。以下は、さしあたって、わたくし個人に即した海洋史観への道のりの一端である。

タコ壺から多島海へ

日本史と世界史は、高校では別々の教科書を用いて、別々の教師によって教えられており、大学を受験する者はそのどちらかを選択できる。世界史で受験する学生は日本史を忘れることができ、日本史を選択する学生は世界史を気にかけなくてもよい。教師も同様である。これは学習効率をあげる分業というよりも、相互に連関のないタコ壺的な歴史理解である。現在、日本の大学（短大を含む）進学率は四割を超えている。五人に二人は日本を世界と切り離すタコ壺的な歴史認識をもって大学に進学しており、歴史家も文部省（国家）もそれを許容している。これはおかしいのではないか。

日本の行く末を見誤らないためには、日本の来し方を正確に知ることが不可欠である。どこから来たのかがわからなければ、どこに行くのかはわからないからである。日本の将来は世界諸国との共生にかかっている。日本の歩みを世界の歩みから切り離して理解させている歴史教育は、強く反省されねばならない。

日本は、東洋文明を受容し、また非西洋圏では唯一西洋文明をトータルに受容して発達してきた。日本は東西両洋の文明の影響を受けてきたから、東洋史や西洋史のことをわかっていないと、日本の歩みはほんとうにはよくわからない。東洋史と西洋史、すなわち世界史をとりこんだ日本史の教科書の出現が待望されるのである。

どうして、今日のようなタコ壺的な歴史理解になったのであろうか。日本に近代歴史学の基礎が据えられたのは明治二十（一八八七）年、帝国大学（現在の東京大学）に史学が設置され、ドイツから歴史家ルードヴィッヒ・リース（一八六一―一九二八年）が招聘されて世界史を講じたのが始まりである。リースは近代歴史学の父といわれるレオポルド・フォン・ランケ（一七九五―一八八六年）の弟子である。ランケには『世界史概観』（岩波文庫、原著は一八五四年、原題は「近世史の諸時代」）という名著がある。そこに有名な「一切の古代史はローマ史という湖に流れ込み、近世史はローマ史の湖から流れ出る」という名言がある。そこからも推察されるように、ランケにとって世界史とは西洋史にほかならなかった。つまり、その内容が西洋史でしかない歴史が「世界史」として導入されたのである。その「世界史」には当然ながら日本はふくまれていない。そこで二年後に日本を扱う国史が設置され、また主に漢籍を扱う東洋史が、明治四十三（一九一〇）年にできた。こうして西洋史、日本史、東洋史という今日のタコ壺的な歴史学の基礎が築かれたのである（詳細は『東京大学百年史・部局史二』東京大学出版会）。

しかし、西洋、東洋、日本の歴史は、言うまでもなく、相互に連関なく発達してきたのではない。むしろ連関を深めつつ発達してきた。日本にドイツから近代歴史学が導入されたこと自体、日本史における史実であるとともに、西洋史の史実でもある。両者の関連の理解を抜きにしては、歴史学自体の歴史も語れないのである。

いまや、だれの眼にも明らかなように、世界各国は相互依存を深めており、日本はいうまでもなく、アメリカもイギリスもインドも中国も、どれ一国として孤立しては自立できない。世界中の諸国がそれぞれ自立しつつ依存しあっている。それは各国が言わば島的存在になりつつあるということであろう。現代世界は、タコ壺のなかに閉じこもった国を時代遅れにし、国々が島々として海を媒介にして交流する、言わば多島海的世界の様相を呈している。

あらゆる歴史は現代史であると言われるように、歴史はつねに今日的観点から書かれる宿命を負う。それはほかならぬ歴史家が今日に生きる人間だからである。歴史学も時代に応じて自覚的に古い皮を破らなければならない。タコ壺を破り、多島海の歴史世界へ船出するときがきたのである。

　歴史を見る眼を陸からとき放ち、海から眺めかえせば、どの国も海によってつながる島的世界である。かつて中世から近世への転換期に燦然と輝いたヴェネツィアは海に浮かぶ海洋都市国家であった。十六世紀のスペインは海洋帝国、十七世紀のオランダは海洋国家として発展し、十九世紀に覇をとなえたイギリスも海洋帝国であった。そして二十世紀の覇権国アメリカは、旧ソ連をスパルタと見たて、自国をアテネに比した海洋国である。日本もまた島国である。アジアNIES（新興工業経済群）やASEAN（東南アジア諸国連合）のように、その構成国の多くは島国である。島国ないし海洋国家が自立しつつ急速な経済成長をとげ、国際社会のなかで地位を高めている。

　一つの島の固有の歴史も、島々をつなげる大小の海洋（海域と大洋）から眺めれば、島と海というネットワークの連関のなかで見直されることになるであろう。それは世界史を島々と海とからなる言わば〈多島海〉という観点から捉えかえすことである。それは帝国主義的発想の対極にたつ。帝国主義は、島々を帝国内部にかかえこもうとする囲い込みの思想にささえられている。帝国は帝国外の存在に対する排他性の思想を含んでいる。

　それに対し、ここでいう多島海とは、一つひとつの島が自立しながら、海によってつながっている様を捉えたものである。つなげること、つながることは最近の用語でいえばネットワーキングないしネットワークである。十九世紀までは、島をつなぐ手段は船であった。多島海という座標軸をたてることは、世界をネットワークの相のもとに見るということであり、歴史的には、船を生活手段としてきた海民、漁民、商人、海賊などの非農業民、非牧畜民にあらためて光を当てることである。十九世紀以降には、船のほかに、航空機、電信・電話が加わった。二十一世紀には、さらにマルチ・メディア、インターネットなどが加わり、交通情報通信基盤の整備は、今後一層加速するであろう。

情報化が進行している現実を捉える基本的態度は、世界各地が連関しているという世界認識にたつことである。連関している様を多島海とよぶのは比喩であるが、ネットワークは現実である。かつて船でしかつながっていなかった多島海が、いまや他のさまざまなコミュニケーションの手段によってつながりつつある。ネットワークという観点はグローバル（地球規模的）な視野で世界史を捉えることを必然的にうながすであろう。日本史、東洋史、西洋史といったタコ壺的並存はもはや許される状況ではない。タコ壺的・鎖国的発想の限界を知り、多島海の世界ないしグローバルなネットワークという観点から歴史を見直すために、発想の思いきった転換をはからねばならない。日本史に世界をとりこみ、世界史に日本をとりこむことが課題である。日本史と世界史とが互いに連関するネットワークの海にむけて離陸することは、現実からの要請である。

陸地史観から海洋史観へ

歴史観における離陸はとりわけ日本において切実な課題である。日本は島国であるから、日本列島における歴史は、海をわたってくる文明に洗われながら、島として自立の過程を歩んできた。しかるに、歴史研究の基礎とも言うべき歴史観において、海は本質ではなかった。唯物史観にせよ、生態史観にせよ、内陸の歴史事象が念頭におかれている。

梅棹忠夫氏（国立民族学博物館・元館長）は「文明の生態史観」（梅棹忠夫『文明の生態史観』中公文庫）の提唱者として著名である。梅棹氏はユーラシア大陸を斜めに走る巨大な乾燥地帯において、「牧畜革命」を経て成立した遊牧社会に注目した。牧畜革命とは、群をなして陸上に棲む有蹄類動物の家畜化であり、メスの乳絞り、オスの去勢からなる（梅棹忠夫『狩猟と遊牧の世界』講談社学術文庫）。こうして生まれた乾燥地帯の遊牧社会が湿潤地帯の農業社会と対等の力関係にあることを踏まえて、梅棹氏は両者の対抗関係でユーラシア大陸の歴史のダイナミズムを鳥瞰したのであった。生態史観の構成要素は遊牧社会と農業社会であるから、大陸に根を張った陸地史観である。

唯物史観も同様である。戦後のマルクス主義的歴史学の牽引車であった大塚久雄氏（東京大学名誉教授）は、ヨーロッパなかんずくイギリスにおける「封建制から資本主義への移行」の解明を課題とし、「農村の中産的生産者層の資本家と労働者への両極分解」の理論モデルは大塚史学と呼ばれた。封建制の基礎は土地所有であり、資本主義の基礎は生産手段(工場、機械、労働力等)の私的所有であり、陸地におけるそのような所有関係の変化を、特に内陸農村において、追究したものであり、大塚史学もまた陸地史観である。

生態史観と唯物史観とは、一見、水と油の関係のようであり、事実、故廣松渉氏はそのような観点から『生態史観と唯物史観』(講談社学術文庫)をまとめているが、両者はともに陸地史観としての共通性をもつのである。大塚久雄氏は一九九二年、梅棹忠夫氏は一九九四年に文化勲章を受章され、陸地史観の両雄はここに相並びたった。日本人の陸地に偏った歴史観への二人の影響力と貢献は、疑う余地がないであろう。

そのほか、村上泰亮・公文俊平・佐藤誠三郎『文明としてのイエ社会』(中央公論社)は、日本文明の歴史を「ウジ社会」から「イエ社会」への転換をもって構想したユニークな史観であるが、その説明の仕方は、ウジ社会のなかで十―十一世紀に「突然変異体」としてイエ社会が東国に出現し、両者が共存し競合した後、五百年後にウジ社会がイエ社会によって駆逐されたとするもので、これも陸地史観である。そのほかの代表的な歴史構想として上山春平氏の『日本文明史』(角川書店)があるが、そこでは、自然社会―農業社会―工業社会という三段階区分がなされている。これも陸地における「生産方法の不可逆的な展開」を基準にしており、陸地史観である。こうして、戦後の日本人は海をいれこんだ歴史観をもってこなかった。

そこで、海洋をとりこんだ歴史観を立てることにしよう。そしてここではそれを従来の陸地史観との対比において海洋史観とよぶことにする。

海洋史観における社会変容論

陸地史観と海洋史観とにおける社会変容論を比較しておきたい。

生態史観の場合、社会変容の原因は遊牧民の暴力である。梅棹氏の『文明の生態史観』から関連テーゼを引用するならば、「乾燥地帯は悪魔の巣だ。遊牧民は破壊力の主流であり、王朝は、暴力を有効に排除しえたときだけ、うまくさかえる。その場合も、いつおそいかかってくるかもしれないあたらしい暴力に対して、いつも身がまえていなければならない。サクセッションの理論をあてはめるならば、第一地域〔日本と西ヨーロッパ〕というのは、ちゃんとサクセッションが順序よく進行した地域である。そういうところでは、歴史は、主として、共同体の内部からの力による展開として理解することができる。いわゆるオートジェニック〔自成的〕なサクセッションである。それに対して、第二地域〔ユーラシア大陸部〕では、歴史はむしろ共同体の外部からの力によってうごかされることがおおい。サクセッションといえば、それはアロジェニック（他成的）なサクセッションである」となる。このテーゼの長所は、ユーラシア大陸部の歴史についてはよく妥当することである。難点は、いわゆる第一地域である日本と西ヨーロッパの社会変容について、サクセッション（遷移）が順調にとげられて極相にいたるという植物群落のイメージによる比喩があるばかりで、説明が不足、いや、まったくないに等しいことである。

唯物史観の場合、社会変容の推進力は古代の奴隷、中世の農奴、近代の賃金労働者など、生産にたずさわる人間の生産力（生産性）の上昇である。マルクス『経済学批判』（岩波文庫）の有名な序言に述べられている唯物史観のテーゼから一部を引用するならば、「社会の物質的生産力は、その発展がある段階にたっすると、いままでそれがそのなかで動いていた既存の生産関係、あるいはその法的表現にすぎない所有関係と矛盾するようになる。これらの諸関係は、生産力の発展形態からその桎梏へと一変する。このとき社会革命の時期がはじまる。経済的基礎の変化につれて、巨大な上部構造が、徐々にせよ急激にせよ、くつがえる」というのである。このテーゼの難点は、生産力の上昇をもたらす手段すなわち「何によって」どれだけ生産性をあげるかということに注目するばかりで、「何を」生産するかということを無視しているところにある。言い換えると、もっぱら物の交換価値（価格、数量）に関心があって、物の使用価値（品質、用途）に対する考慮がはらわれていない。そこに決定的難点がある。

それでは海洋史観の場合はどうか。世界を多島海という観点から認識する海洋史観の二つの柱は島と海である。島の発展の解明にあたり、島のみならず、その周囲にひろがる海洋にも視点をあてれば、それはおのずと一国レベルの発想を超えることになる。

島と海との関係を捉えるのに有力な理論はシュンペーターの経済発展論である。シュンペーター『経済発展の理論』(岩波文庫)は、経済発展を経済学説史上はじめて真正面から主題にしたものであり、それによれば、生産とは物と力(エネルギー)とを結合することであり、経済発展とは「新結合を遂行すること」である。社会生活はさまざまな物の組み合わせから成っている。静態的社会では年々歳々同じような結合がおこなわれ、経済は同じ循環をくりかえす。そのような結合をシュンペーターは「循環的流れ」と表現した。一方、新結合(新原料の獲得、新生産方法の導入、新組織の実現、新財貨の生産、新販路の開拓等)が起こると、経済は循環的流れを破られて、動態的発展を経験する。経済は発展し、社会は変容するのである。

シュンペーターの「経済発展=新結合」論の基礎にあるのは「結合」という概念である。社会生活で使用される物は生産や消費を通してさまざまに組み合わされる。シュンペーターは生産的結合をおこなう人間主体に着目して「企業者」という概念を導入し、企業者が銀行家から信用を得ておこなう新結合を「経済発展の根本現象」だとした。

シュンペーターは物を組み合わせる「企業者」という人間主体に着目したが、ここでシュンペーターと一線を画して、組み合わされた物の方に着目してみよう。物は衣食住をいとなむために社会的にまとまったセットないし複合をなし、それが生活様式をつくりあげている。物が組み合わされてセットないし複合をなしているから生活様式としてまとまるのである。マルクス『資本論』の冒頭に「資本主義社会の富は巨大な商品集積として現れる」という有名な一文があるが、『資本論』の叙述はイギリス社会を対象にしているので、文中の「商品集積」とは、具体的に言えば、イギリス社会の商品集積である。個々の商品はイギリス人の生活に使われ、それらが全体としてイギリスの生活様式を作り上げている。イギリス社会にかぎらず、社会の生活様式をかたちづくるためにセットになった物の複合体は、社会生活の物的基盤をつくりあげており、それを社会の物産複合とよぶ。複合体は英語でいうコンプレックス（complex）である。新結合が起こると、物の組み合わせが変わり、社会の物産の複合は変化する。物産複合体は衣食住の社会生活の物的基礎であり、これを言わば下部構造として、その上に文化がそびえている。物産複合が変化すると、それにつれて上部構造である文化は変容する。経済発展＝新結合がおこると物産複合は変容し、生活様式は一新するのである。

こうして、経済発展論に立脚すれば、社会の物産複合体の変容の実態をさぐり、またその変容の原因や時期を捉えるという接近法がうまれてくるのである。

物産複合の変化による社会変容というような事態は、海洋に浮かぶ島国の場合、島の内部から生み出されてくるというよりも、島の外部から舶来する文物によって決定的なインパクトをもってひき起こされる。先史の日本において、コメが「海上の道」にのって伝来して縄文文化から弥生文化へ転換したと言われるように、また近代のイギリスにおいて、中国やインドから茶が帆船によって舶載されてティー文化が形成されたように、未知の物が既存の物産複合の内部に継続的にもたらされると、生活様式が根本的に変化する。生活様式とは文化のことにほかならないから、物産複合が変わると、徐々にせよ急激にせよ、文化が変容するのである。舶来品の使用が継続し拡大すると、既存の物産複合は暮らしに適した状態から適しない状態へと変わる。舶来品の流入が大量で持続すれば、外圧となる。それは社会に危機をもたらし、社会内部からのレスポンスを生み、新結合が起こり、新しい物の組み合わせをもつ物産複合に変わる。生活革命が始まるのである。

経済発展すなわち新結合による物産複合の変容や生活様式の変化を説明するには、新規の文物をもたらす海洋の役割を視野にとりこむことが欠かせない。唯物史観も生態史観も陸地史観であることによって、それは期待できない。海洋をとりこんだ史観を持たねばならない。唯物史観が生産力、生態史観が暴力を社会変容の主因と見るのに対して、海洋史観は海外から押し寄せる外圧を社会変容の主因と見るのである。

ブローデルのもう一つの大著『物質文明・経済・資本主義　十五―十八世紀』は三部作よりなるが、第一部『日常性の構造』二分冊（村上光彦訳、みすず書房）には、それほど明示的に方法論は述べられていないにせよ、十五世紀から十八世紀にかけて、新世界、旧世界（アジア）からもたらされた未知なる物産が日常生活にはいりこむことによって、ヨーロッパの物質生活が徐々にではあるが、根本的に変化していく様が、悠揚迫らざる筆致で論述されている。さきほどの用語で言えば、新しい物産が海の彼方から舶来し、ヨーロッパ社会の物産複合が変わり、物質生活が変容し、そして近代ヨーロッパが誕生したのである。『地中海』の姉妹編ともいうべきブローデルのこの大著は、海洋史観にたってはじめてその全容をしっかり捉えることができるように思われる。

「海から見た歴史」のプロローグとしては、本来の航路からやや逸れたであろうか。もっとも、新しい「海から見た歴史」の行き先は、だれの眼にもまだ判然と見えているわけではない。このプロローグもまた航路不案内であることに変わりはない。座礁せぬうちに、同学の人士の集う出航地に引き返すのが賢明であろう。

本書について

一九九五年七月二十二日、藤原書店の主催で東京のアルカディア市ヶ谷（私学会館）において、「ブローデル『地中海』（全五分冊、浜名優美訳）完結記念シンポジウム」がおこなわれた。シンポジウムの主題は「海から見た歴史――ブローデル『地中海』を読む」である。それがそのまま本書のもとになった。当日は会場をすっかり埋めつくす二五〇人あまりの熱心な聴講者を得た。本書は、当日、また後日に寄せられた参会者からの強い要望をいれて刊行されるものであり、当日のプログラムをほぼそのまま生かして編集されている。

当日のプログラム（本書の目次）は〈海の連なり〉を示すように配列された。地中海、インド洋、東南アジアの海、南シナ・東シナ海、日本海、オホーツク海へと西から東に海が連なるように、主題も連なっているのである。われわれはシンポジウムにおいて、連なる海のさまざまな局面を参会者に印象づけるようにこころがけた。二宮宏之氏がヨーロッパの地中海、鈴木董氏と山内昌之氏がイスラムの海、家島彦一氏がインド洋、石井米雄氏が東南アジアの海、浜下武志氏がシナ海、網野善彦氏が日本近海を担当した。これらの諸氏がそれぞれの研究領域の第一人者であることは、改めて申しあげるまでもない。

それは同時に、ヨーロッパ世界、イスラム世界、インド洋世界、東南アジア世界、日本をふくむ東アジア世界、さらに日本を比較しつつ、それらの連関をさぐる世界史の試みでもあった。

あらかじめ断っておこう。これはけっしてブローデル礼賛の記録ではない。以下につづく冒頭の基調報告からしてはやくも、ブローデルのイメージする地中海が、イスラムの海としての地中海を軽視しているとの批判が説得力をもって語られるであろう。また、討論末尾においては、ブローデルには「ヨーロッパ・パトリオティズム」があるとの鋭い洞察が示されるであろう。それがブローデル自身に意識されていたか否かは不明である。卓抜な歴史家ブローデルへの最上の敬意が、シンポジウム参会者のあいだに、知的エネルギーの凝集を生んだ。短い時間であったが、終始、火花が散った。余韻はいまもなお鮮やかである。

猛暑の夏、緊張感をもって参集し、『地中海』への、また「海から見た歴史」への思いのたけを吐露し、忌憚なく論じ合った八人の学究の精神の高まりが、願わくば、読者に伝わらんことを。われわれは、『地中海』を羅針盤にして、「海から見た歴史」という新しい歴史学の大海に乗り出した。読者もまた、この未知なる航海に乗り出されんことを真摯に願うものである。本書が、その水先案内役になるならば、幸甚これに過ぎるものはない。

ブローデル『地中海』と日本

イマニュエル・ウォーラーステイン
山田鋭夫訳

フェルナン・ブローデルの大著『フェリーペ二世時代の地中海と地中海世界』（邦訳『地中海』）が日本語で出版されたことをうれしく思います。それには二つの理由があります。偉大な書物というものは多くの言語に訳されるべきだという理由と、この本は日本と格別に関係が深いという理由です。

第一の理由については異論ないものと思います。しかし第二の理由については、びっくりする方がいるかもしれません。十六世紀の地中海世界についての本が現代日本に関係があるとは？　それはたんなる知的好奇心からではないのか？　もちろん日本の立場からすれば、地中海の諸事件にかんする現実の歴史はたんなる知的好奇心の対象です。しかしブローデルの偉大な貢献は、この時代、この地域に何が何故に起こったかについて彼が実際に語ったこと（この点は彼の仕事の無視しうる特徴ではないし、専門の歴史家から大いに賞賛されているのではあるが）にあるのでなく、世界経済、世界システム、世界の広大な地域について、時間を跨いで（over time）どう考えたらよいかについて、彼が私たちに語ったことのうちにあるのです。

時間を跨ぐ！　そのとおり。しかし、どんな時間を跨ぐのか。これこそまさに、ブローデルが提起した問題です。彼の答えはみなが知っています。関連する三つの社会的時間があって、エピソードの時間（出来事の歴史）、循環の時間（変動局面の歴史）、構造の時間がそれです。本書は三つの部に分かれ、物語はこれら社会的諸時間のそれぞれにおいて三度語られます。私たちはまた、ブローデルが第四の社会的時間――普遍的真理という永遠の時間、時間なき時間――を用いることをはっきりと拒否したことを知っています。

このことがなぜ今日の日本にそんなに関係があるのでしょうか。明治維新以来ずっと、そしてきっと今日も、日本の公論は、日本で起こっていることを説明するのにどんな種類の社会的時間がいちばん有用かという問題をめぐって闘わされてきたように思われます。エピソードの時間、出来事の時間というのがあり、それはブローデルが本書で「塵」とよんだものです。ざっと数えあげても、徳川幕府を襲った政治的諸闘争、ペリー提督による「開国」、明治維新、韓国併合、日露戦争勝利、満州侵略、真珠湾攻撃、広島原爆、マッカーサー時代、これにつづく自民党中心の政治などが挙げられますが、これらは日本に内的な（あるいは「外」からきた）さまざまな出来事の連鎖です。それについて私たちは一貫した物語をつくることができます。だがそれは日本の運命の劇的な転換、外部世界からの相対的孤立の終焉、資本主義世界経済という枠組内での経済的「興隆」といったことを「説明」するでしょうか。そのような物語はこうした転換をたんに「叙述」するだけでしょう。そういった物語の枠組があたえる唯一の「説明」は、日本の道筋が特異なものであったとか、それは日本文化固有の特異な性質に由来するとかいったことになりかねないのです。そのような説明は、日本という一全体についての、一種の「本質論」的見方を前提としています。それは万世一系の皇室という神話にはうまく当てはまることでしょう。

時々のトピックスから循環の時間に目を移すと、これとはちがった問題が出てきます。資本主義世界経済への編入において日本は中国とは異なる「対応」をしたわけですが、それはどのようにしてであったかについて、私たちは疑問に思ってよいでしょう。主として、内的な社会構造がちがっていたからなのか、面積や人口がちがっていたからなのか、対外制約がちがっていたからなのか。この最後のものだとすれば、そうした対外制約の相違は、両国の直接に搾取可能な富の程度が異なるがゆえなのか、あるいは両国の地政学的ロケーションが異なるがゆえなのか。こうした比較をするとき、相違を評価するためにはどういった時間軸をとればいいのか。一八五〇―二〇〇〇年のストーリーを見れば中国より日本の方が「うまくやった」ようだが、二一〇〇年まで延長して比較すれば同じことにはならないだろう、と主張する人もいるのです。

おそらく私たちがかかえている課題は、過去三十年間における日本の例外的な経済成長を説明することでしょう。わずか三十余年前、ある大きな学術会議があって、そこではトルコと日本がけっこうよく似た経済状況にある二国として比較検討されていたのです。それほどに両国の開発戦略の比較は意味がありました。あと知恵ながら今日では、そういった比較は無意味でしょう。だがそれでは、「けっこうよく似た経済状況」について語ることは何を意味するのでしょうか。私たちがこの二十五年間、コンドラチェフ下降波のなかにいるという事実は、なぜ今日、そういった特定の比較をすることが無意味に思われるのかということと何か関係があるのでしょうか。日本の経済成長は日本の国家政策のみによって「説明」できるのか、それともむしろ、世界経済の作用や、ある地域を「前進」させ他の「よく似た」地域を「後退」させるようなメカニズムを見るべきなのか。

だがしかし、これを「説明」するとなれば、それはおそらく循環的なものではまったくなく、構造的なものとなるでしょう。現代の日本では浜下武志教授のように、今日の状況を「説明」するためには、東アジア「地域」が長年にわたって存在したということ、そしてこの「地域」はその資本主義世界経済なるものとのどんな関係よりも以前からあるものだということを議論する学者もいます。したがって、現在を「説明」するために私たちは、東アジア地域の歴史を、例えば一五〇〇―一八五〇年の期間にわたって再検討しなければならないし、そうした歴史からどのように制度やネットワークが受け継がれ、それらが一八五〇年から今日まで「外的」勢力によって押しつけられた再編成の時期を生き抜いているかを検討しなければならないでしょう。

明らかなのは、どのような時空パラメータのなかで現象を分析しようとするのかを決定しないかぎり、私たちは説明を持たないだけでなく、説明されるべき何ものをも持つことさえないのだということです。フェルナン・ブローデルの書物をとおして、まったく別の歴史的な時空圏の分析へと没入することによって、日本の読者はきっと、そのなかでみなさんが現代日本を分析する時空カテゴリーを、そしてまさに、解答を必要とする問題とは何なのかを考え、あるいはむしろ再考されることでしょう。

（やまだ・としお／名古屋大学名誉教授）

第Ⅰ部　ブローデルの「地中海」

基調報告

ブローデルの『地中海』と「イスラムの海」としての地中海の視点

鈴木 董

一 ボスポラスのほとりで

ブローデルの『地中海』は、オスマン帝国史を専門とする私にとっても、忘れえぬ書物の一つである。この書を手にとるとき、いつも私の想いは、過ぎ去ったイスタンブルでの青春の一こま、ボスポラスの夜に回帰していく。一九七二年、前近代オスマン帝国の政治エリートの変遷についての修士論文を書き終えたばかりの私は、ブローデルの『地中海』の仏文原書を、遙々とフランスから取り寄せ、ようやく手にすることができた。入手し得たのは、瀟洒な青緑色の装丁の二巻本の第二版であった。早速、読み始めたが、いくばくもなく、イスタンブル留学の機会を得て、遙かなる君府へと旅立った。ごく僅かな荷物を携えるにとどめた私は、ブローデルの書を、日本に残さざるをえなかった。

早くから、大航海時代以降、近代までに至る日本とアジアの歩みを、新しい比較史の枠組のなかで再検討することをめざして、学問の道に進んだ私には、東アジアでも西欧でもない世界、ほとんど未知の世界として、イスラム世界は、比較研究のためのまたとない第三の素材と思われ、なかでもオスマン帝国は、まさに大航海時代から近代にかけてイスラム世界に君臨した最後のイスラム的世界帝国として、日本や中国との絶好の比較の対象にみえた。

それ故、まだ研究の道に入って年も浅く、日本では史料も文献もまことに乏しかったため、手探りのなかでオスマン帝国史研究を進めていた私にとって、イスタンブル滞在の日々は、ほとんど絶え間ない新たな刺激の連続であり、オスマン帝国史研究に没頭するなかで、しばし、ブローデルと彼の大著『地中海』とのかかわりは、中断されていた。

しかし、一九七三年もおしつまった頃、イスタンブルの洋書店の店頭で、はからずも久しく待たれていたブローデルの『地中海』の英訳二巻本の初版に出会ったのであった。その冬から一九七四年の初春のまだ寒い日々、図書館通いから帰ったのちの夜には、夜毎、この英訳本にとりくむこととなった。雄大な構想の下に悠々と流れつつ、随所で鮮かにきらめくイマージュをまき散らすこの本は、イスタンブルの街のさざめきにもまして、遙かに強く私を捉えた。なお寒い夜更、ボスポラス海峡に臨み、夜間海峡を往来する船の灯のまたたきにときに目を転じつつ読み進めた『地中海』は、私に、強烈な印象を与えたのであった。

二 ブローデル『地中海』の提示したもの

1 地中海世界の全体的把握の最初の試み

何よりも、ブローデルの『地中海』を際立たせるのは、それが、ほとんどたぐいなき情熱の所産であることである。第一巻の初版への序文の冒頭で、彼は言う。「私は、こよなく地中海を愛した」と。

まさに、ブローデルは、彼の地中海への情熱を傾けて、彼の才能からすれば余りに遅まきの処女作を書いた。彼がこの書物の初版を刊行したとき、ブローデルは、すでに四十七歳になっていた。しかし、彼の『地中海』は、熱気あふれるみずみずしい文体で綴られている。この書は、あくまで、学問の香気ただよう史書である。しかし、ブローデルの地中海への愛と情熱は、この純学問的にもこのうえもなく貴重な書物を、文章そのものの豊饒さのみでも、全く味読に値いするものとしているのである。

それに加えて、『地中海』は、その内容においてまた、たぐい稀な学的営為の所産であった。それは、地中海とそれをとりまく諸地域を、一つの世界、すなわち地中海世界として、その全体性において捉えようとする、最初の試みであった。

地中海と、そしてその周辺の諸地域は、古くから、人文社会諸科学の分野で、絶えず研究の対象とされ、各々の専門分野において、幾多の名著を生んできた。しかし、それらは、ほぼいずれも、地中海とそれをとりまく諸地域のある側面、ないしある部分を対象としていた。

ブローデルの『地中海』において初めて、地中海とそれをとりまき地理的・生態的に一体をなす諸地域を、一つの世界としてまるごと採り上げ、これを巨視的かつ全体的に把握することが試みられたのであった。しかも、邦訳の完成した今年ですでに原本初版刊行以来、半世紀近くを経ているにもかかわらず、この書をのり越えうる、いな単にこの書に匹敵しうるだけの拡がりと深みをもった著作は、未だ現れていないのである。

ブローデルの『地中海』は、空間的拡がりにおいては、東はシリアから西はイベリア、モロッコに至り、北はピレネー、アルプス、黒海から、南はサハラ砂漠に至る地中海世界の全域をその対象としている。

これに対し、時間のうえでは、本書の原題が『フェリーペ二世時代の地中海と地中海世界』と銘うたれているように、一応の区切りとしては、一五五六年から一五九八年に至るハプスブルク家のスペイン王、フェリーペ二世の治世、やや広くいえば十六世紀後半に場が設定されている。じっさい、後にまたふれるが、第三部における通時的歴史記述においては、この枠組が守られているかにみえる。

しかし、本書のなかで、圧倒的なウェートを占めるのは、実は、第一部と第二部であり、そこでは、論述は、もっぱら一つの全体としての地中海世界の共時的構造というべきものと、その何世紀にもわたる非常に長いタイム・スパンにおける甚だ緩慢な変化についての記述を中心とするのである。

すなわち、ブローデルの『地中海』は、空間的に地中海世界全体をおおうのみならず、時間的にも、十六世紀後半という半世紀どころではなく、極めて長大な時間を、実はその対象としてとり込んでいるのである。

ただ、原題に示されたフェリーペ二世の治世にほぼあたる十六世紀後半という時代は、それまでの長大な時間の拡がりのなかで、ブローデルの言葉をかりれば、地中海の西と東が「同じリズムを生きていた時代」の最後を飾る時期にあたる。

これからみれば、ブローデルが『地中海』で対象としている時間的拡がりもまた、決して、十六世紀後半というごく限られたタイム・スパンではなく、実は、地中海世界が地中海世界としての一体性を保っていた長大な時間なのであり、ただ原題のフェリーペ二世時代という限定は、それまでの長大な時間を、そのクライマックスにおいて捉えるために加えられたものであるとみることができよう。

こうして、空間としても、全体としての地中海世界、時間的にも、地中海世界が地中海世界として一体性を保っていた全期間が、ブローデルの『地中海』における記述と分析の対象なのであり、この広大なる主題を扱うために、また、全く新しい把握の手法が提示されるのである。

2　三つの「時間」把握による歴史分析

ブローデルは、地中海世界を捉えるにあたり、そこで過ぎ去っていった長大な時間に、三つの異なる時間把握に基づき、三つの相から接近するのである。すなわち、そこでは、刻々と事件の生起する時間、緩やかに動き何世紀という長期間のうちに徐々に変化を生み出していく時間、そして、ほとんど不変ともみえるほどに緩慢に流れる時間という三つの時間を想定し、その各々の時間の相から、地中海世界の歴史が考察されるのである。

3　三層からなるものとしての歴史把握

ブローデルは、この三つの相からの時間への接近と照応して、歴史そのものを、三層からなるものとして把握する。

その一つは、地理的環境のなかでの人間の生活の営みであり、これは、ほとんど不変であるかのような時間の相に照応し、それとみえぬほどに甚だ徐々に動いていく。

いま一つは、人間のさまざまの集団の運命であり、これもまた数世紀といったかなり長いタイム・スパンのなかで、緩慢に変化していく。この歴史の層に照応するのが、緩やかに変化を生んでいく時間の相である。

第三は、日々生起するさまざまの出来事からなる歴史の層である。事件史と呼ぶべき歴史のこの層は、刻々と変化し事件の生起する極めて短いタイム・スパンの時間に照応する。

4　環境と構造の重視と事件の軽視

地中海世界で生起した長大な時間に三つの時間の相から接近しつつ、全体としての地中海世界の歴史そのものを三つの層からなるものとして捉えようとするとき、ブローデルの『地中海』における関心の焦点は、容易に変わらざる環境としての地中海とその周辺諸地域の地理的環境と生態系と、そのなかでの人間の営みの共通性、そして、緩慢に変化する集団の運命、ないしは人間のつくり出す構造というべきものに向けられている。

ブローデルの『地中海』は、その三部構成にもかかわらず、基本的には、地理的環境とそのなかでの人間の営みとそれがつくり出す構造の歴史を物語る書である。

じっさい、その第三部をなす「出来事、政治、人間」と題された事件史の部分が、それ自体、いかに事件の記述としての歴史の壮麗な一傑作であり、十六世紀後半の半世紀における地中海世界についての最良の通史であるとしても、それは、ブローデルがこの大著のなかで物語ろうとしているメイン・テーマではないのである。そして、そこでは、地中海世界に繰り拡げられた諸国家の外交と内政にかかわる政治史もまた、ほとんど事件史の範疇のなかにとじ込められるのである。

5　巨視的史観と微視のまなざし

ブローデルは、こうして地中海世界の歴史を、構造史的側面に重点をおきつつ描くにあたり、のちには計量的分析手法も導入して構造の解明にあたることとなったが、初版以来の特徴的な歴史把握の手法は、夥しい数の多種多様な地中海世界の人びとの営みの一方々々、無数の微視的な実例の叙述を惜しげもなく挿入しつつ、全体の構造を物語ろうとするところにある。

彼の歴史把握の手法における最大の特色は、まず個々の概念を規定しつつ、それらを一つの概念の体系としての理論に組み上げ、これを出発点として、抽象的概念を用いて現実を腑分けしていくように分析を進めつつ全体像を提示しようとする、いわば「ドイツ式」とでもいうべき手法をとらないことである。そのことがまた、とりわけ、概念的なドイツ的手法に古くよりなじんでいる者の多い我が国の人文社会科学の研究者に対して、ブローデルの大著の斬新さを強く印象づけるのである。

ブローデルは、むしろ、多数の具体的なイマージュを、惜しみなく豊富に、しかし極めて注意深く体系的に、われわれに提示することによって、全体像を描き出してみせようとするのである。その際、ブローデルは、まず大きな構図をひいていく。しかし、そこで示される構図は、白紙上に描かれた墨線のデッサンにすぎない。

そのうえで、ブローデルは、この構図にそいつつ、夥しい数の具体例を叙述していくことを通じて、地中海世界の人びとの営みについての無数の微視的なイマージュを丹念にちりばめていく。それらの個々のイマージュは断片的であるが、無数のイマージュが配置されていくうちに、視覚的な鮮明さをもって、全体像がおのずと浮かび上ってくるのである。しかも、そこで提示される個々の事例についての微視的なイマージュの各々は、まさにブローデルの地中海をその細部に至るまで愛する情熱によって、芸術的ともいえる光彩陸離たる鮮かさをもって描かれている。

こうして、これらの個々の具体的なイマージュそのものが独自のきらめきを放ちつつ、その各々が一片々々をなす、色鮮かで巨大なモザイク絵画として、ブローデルの心象世界のなかで創り上げられた、彼の「地中海世界」の全体像を、提示するのである。

まさに、ブローデルが彼の大著『地中海』において試みたのは、尽きせぬ興趣をかきたてる地中海世界に生きる人びとの個々の生活の営みへの微視のまなざしと、そして、三相の時間把握により支えられ三層からなる歴史把握という斬新な方法によってたちつつ、一つの世界としての地中海世界の全体像を提示しようとする巨視的史観が、渾然と一体になった、彼独自の一つの「全体史」を提示することであったのである。

しかも、ブローデルが『地中海』において提示したのは、灰色の理論の体系が寒々とした姿をさらすような骨格だけの全体史ではなく、まさに現実こそ緑であることを雄弁に物語るような、彩りあふれるイマージュの万華鏡の如き全体史であり、その叙述そのものもまた、全篇にわたって、学術の書としては余りに情熱的ともいうべき、芸術的香気を放つ文体をもって、綴られるのである。

三　ブローデル以後の地中海世界史の課題

1　空間的限界の問題

意図としての地中海世界の全体的把握と結果としての南欧三社会の比較史

いうまでもなく、ブローデルは、彼の『地中海』のなかで、地中海世界の全体的把握をめざす世界で最初の試みを企てた。たしかに、第一部「環境の役割」において設定される場としての地中海世界には、西はイベリア、モロッコから、東はアナトリア、シリアにまで至る広大な地中海世界の全域が含まれている。

じっさい、本書のなかで展開される叙述のなかでも、無数の具体的イマージュの相当数は、地中海の南岸、東岸から採られている。そして何よりも、問題設定にあたり、地中海世界の一体性を論ずるにあたって、彼は、地中海の西も東も「同じリズムを生きていた」時代のあったことを強調し、そのような一体性を保っていた頃の地中海世界を提示することをめざすということを明言している。そして、そのために、少なからぬ努力が払われ、その多くが実を結んでいることもまた事実であろう。

しかし、それでもなお、今日の、それもとりわけ地中海の東半分に特に関心をもつ者の目からすれば、ブローデルの『地中海』において中心的に論ぜられるのは、主として広大な地中海世界の西北の一隅であるとの感をまぬがれえない。すなわち、それは、著者の先見の明ある壮大な意図にもかかわらず、やはり本質的には、イベリア、南フランス、そしてイタリアという「南欧」三社会の比較史を中心としているといっても過言ではないであろう。

そして、それはまた、観点をかえれば、一つの文化世界としての西欧カトリック世界（西欧キリスト教世界）の南半の分析を中心としているということができよう。

「イスラムの海」としての地中海

ここで、ブローデルが、彼の『地中海』のなかで対象として設定した地中海世界について歴史的にふりかえると、それは「キリスト教徒の海」であるよりも、むしろ、「イスラムの海」であったことが、浮かび上がってくる。

すなわち、ローマ帝国の地中海世界制覇以降、地中海は、長らく「ローマの海」、まさにローマ人の「われらが海」であった。しかし、ローマ帝国は三九五年に東西に分裂し、ゲルマン民族の大移動のさなか、四七六年には、西ローマ帝国が滅亡して、地中海世界の東西の統一性が揺らぎ始める。そして、かつてのローマ世界の西北の一隅において西欧カトリック世界形成への芽がふき始めていたかにみえる七世紀に至って、遙か東方からイスラムが台頭する。

七世紀初頭、アラビア半島の一隅に興ったイスラム勢力は、七世紀中葉に至り、アラブ・ムスリム戦士団によって担われた「アラブの大征服」の波にのってアラビア半島から押し出し、急速に東西に拡がり、八世紀中葉までに、新たな文化世界としてのイスラム世界の原型が成立した。この動きのなかで、東はシリアから、西はマグリブ、イベリアに至るまでの地中海世界の広大な地域は、イスラム世界のなかに包摂された。

そして、ほぼこの頃、かつては一つのローマ世界ないしはヘレニズム世界をなしていた地中海世界は、ローマ世界の直接の後継者というべきビザンツ世界と、西欧カトリック世界と、そしてイスラム世界という、三つの文化世界の併存するところと化していった。

「アラブの大征服」によって、かつて地中海世界の統一性を支えていたその東西間の交渉と交易が断ち切られたことが西欧カトリック世界成立の最大の要因であったという、ベルギーの碩学アンリ・ピレンヌが、その著書『マホメットとシャルルマーニュ』のなかで展開したいわゆるピレンヌ・テーゼの妥当性はしばらくおくとしても、イスラム世界の成立によって、地中海世界が、一つの文化世界から、三つの文化世界の併存するところとなったといってよいであろう。

そして、それ以降、地中海世界の三分の二から四分の三に及ぶ地域は、つねに、ムスリムの支配下にあって、イスラム世界の一部分をなしていたのであった。そのことは、ブローデルの『地中海』の明示的に設定された時間的枠組としての十六世紀後半にもあてはまるのである。

その意味では、イスラム世界の成立以降の地中海は、むしろ「イスラムの海」であったといいうるであろう。そして、そのことは、ビザンツの海上支配力の弱っていった十一世紀以降には明確であり、とりわけ、十五世紀後半以降、ビザンツ世界全体がイスラム世界に包摂されたのちには、より決定的にあてはまるのである。

東西が一つのリズムを生きていた時代の地中海世界の全容を捉えんとするブローデルの『地中海』において、地中海世界の西北の一画を占める南欧三社会についての微に入り細をうがった分析に比し、当面の検討の対象たる十六世紀の地中海世界の、東北、東南、西南の三つの空間をときれなくおおっていたイスラム世界の諸社会についての記述と分析の薄さは否定し難いのである。すなわち、そこでは、地中海世界の西北の四分の一の部分と同じ密度では、他の四分の三は、著者の雄図にもかかわらず、捉ええていないのである。

先駆者としてのブローデルと研究史の限界

とはいえ、ブローデルは、地中海世界について、従来もっぱら問題とされてきた西北の一隅、西欧キリスト教世界に属する部分に加えて、残る四分の三を占めるイスラム世界の諸社会をも対象として採り上げ、地中海世界の東西を含めた全体像を把握することに努めた先駆者であったことには、疑いはない。そして、このような西欧的な視野の限界をこえようとする彼の志向の背景には、彼の天与の資質とともに、当時なおフランス領であったアルジェで教師としてすごした青春の日々の体験もまたひそんでいたことであろう。

ただ、彼が、彼の『地中海』を構想し準備した一九三〇年代後半から一九四〇年代中葉までという時期は、地中海世界のうちとりわけイスラム世界にかかわる部分について、彼の雄大な意図を支えるにふさわしいような研究の蓄積はいかにも乏しく、そのような研究のための史料の整備と刊行もまたいかにも不十分な時期であった。ブローデルの情熱も先見の明も、当時の研究の蓄積の限界と時代の制約によって、生かしきれなかったのである。天才もまた、時代の子なのである。

ただ、ブローデルの『地中海』の刊行そのものが、彼が真に望んだであろうような、地中海世界の東西を通じた包括的把握の実現への一歩となりうる、新たな諸研究、新たな史料の整備、刊行への動きを促進したのも確かである。

じっさい、一九四九年にブローデルの『地中海』が刊行されると、まもなく、一九五一年には、地中海の東、イスタンブルで、明確な反響が生じた。すなわち、原史料に基づきつつ社会科学的分析手法をふまえたオスマン帝国の社会経済史研究の創始者となったイスタンブル大学経済学部のオメル・ルトフィー・バルカン教授が、ブローデルの問題提起を真正面からうけとめて、『イスタンブル大学経済学部紀要』に、長大な書評をトルコ語で発表した。バルカン教授は、さらに、トルコ学、トルコ史プロパーの専門家にもアピールすべく一九五二年には『トルコ学雑誌』にいま一つのトルコ文の書評をよせた。そして、一九五三年には、今度は、ブローデルの拠る『アナール』誌に仏文で「イスタンブルよりみたるブローデルの『地中海』」なる一文を寄せさえした。これは本邦ではおそらく、ブローデルの『地中海』がほとんど注目もされていなかった時期のことで、いかにその反応が早かったかがわかる。

以後、バルカン教授は、その門下とともに、実証的トルコ社会経済史の研究と関係史料の整備公刊を進めるとともに、ブローデルの『地中海』における問題提起のいくつかについて、とりわけ人口史や価格史について、独自の検証を明らかとしたのであった。

そして、ブローデル自身もまた、この地中海の東方からの反響に応えて、バルカン教授と親交を結び、彼と彼の一門の研究成果を採り入れていったのであった。その結果は、第二版に多く反映されている。このことが、いかにブローデルにとって大切に感ぜられたかは、『地中海』第二版への序文の中で、謝意を表されている研究者の筆頭に、バルカン教授を挙げていることからも明らかである。また、一九七九年にバルカン教授が逝去すると、翌一九八〇年にイスタンブルにあるフランス・アナトリア研究所の刊行した『オメル・ルトフィー・バルカン追悼論集』に、「トルコ帝国は経済＝世界か?」の一文をよせている。

地中海世界の西と東の真に統一的な把握の必要性

ブローデルの記念碑的大著『地中海』は、その意図において、地中海の東西を統一的に把握する、世界の研究史上ほとんど最初の試みであった。そして、この書の刊行は、欧米のみならずイスラム圏においても反響をよび、むしろ、イスラム圏側で、この書の問題提起に対する着実な検討が始まり、ブローデルのその後の研究に資しさえしたのであった。

しかし、ブローデルの意図にもかかわらず、彼の『地中海』が、初版はもとより第二版以降においても、基本的にはなお、地中海世界の西北の四分の一をなすイベリア、南フランス、イタリアの南欧三社会の比較社会史を中心にしたものにとどまっていることも事実であろう。

すでに半世紀を過ぎようとしているブローデルの問題提起に応えるべきわれわれの今後の課題は、まさにブローデルが彼の『地中海』を執筆するときには望むべくもなかったその後の研究の蓄積をもふまえて、イスラム世界にも深く立ち入った、地中海世界の西と東との真に統一的な把握の実現にむかって歩を進めていくことであろう。

2　地理的環境に基づく「世界」と文化圏としての「世界」

ブローデル的「地中海世界」の統一性と文化的多様性

ブローデルは、『地中海』のなかで、彼のいう地中海世界における東西の共通性を強調している。たしかに、地中海を中心とする諸地域は、共通の気候、地理的環境、そしてその上に成立する生態系を有し、個々の地域、さらにそれら個々の地域内の個々のサブ地域ごとにかなりの差異も含みつつ、全体としてはかなりの程度に共通の環境をつくり出している。

それ故、そこに住む人びとの文化についてもまた、地理的環境とその上に成立する生態系によって規定されるところの大きい基本的な物質文化、生活文化においては、かなり大きな共通性がみられるといってよいであろう。

そしてまた、地中海という大動脈を通じて、地中海世界をかたちづくるその周辺の諸地域は、さまざまの交通路とネットワークを通じて相互に深くかかわり合っていた。その意味で、地中海を中心とする地中海世界は、その周辺の諸地域間の、そして、そこに住むさまざまの人びとの共通の交流の場として、かなりの程度に、統一性をもつものとして捉えることが可能であろう。

しかしまた、ブローデルのいう地中海世界には、価値体系を基軸とする大きな差異性を示すいくつかの大文化圏、文化世界が併存していたのも事実であった。

文化世界の併立の場としての地中海世界

ここで、「文化」を、とりあえず、「人間が集団の成員として後天的に習得する行動のくせ」と規定するとき、さまざまのレヴェルで共通の文化を共有する集団、そしてそのような集団が分布する文化圏が成立する。そのような意味での文化圏のうち、多くの成員を含み広大な空間に拡がるものを大文化圏、ないし「文化世界」と名づけるとすれば、地中海世界は、古来、いくつもの文化世界の併存してきた場であった。

たしかに、かつて、ローマ帝国によって政治的に統一的支配の下におかれるとともに、ローマ世界ないしはヘレニズム世界として、一つの世界となり、そこに併存してきた諸文化世界は、そのサブ文化圏と化したこともあった。

しかし、すでにふれたように、西暦七世紀中葉から八世紀中葉にかけてイスラム世界が成立していくなかで、再び、ビザンツ世界、西欧カトリック世界、そしてイスラム世界という三つの大文化圏ないし文化世界が併存する場と化していったのであった。

文字圏としての文化世界

イスラム世界成立以来、八世紀近くにわたって併存した三つの文化世界の拡がりは、価値体系の面でみれば、各々、正教、カトリック、そしてイスラムという三つの大価値体系を奉ずる者が優越的な空間として捉えうる。いな、価値体系と深く結びつきながら、より客観的に検証可能な、文明語と文字の観点からみれば、ビザンツ世界は、ギリシア語を第一義的文明語とし、文字についてギリシア文字と、のちには一部ではキリル文字が優越的に用いられる文化世界、より端的にはギリシア・キリル文字圏として捉ええよう。これに対し、同じくキリスト教の一宗派であるカトリックを価値体系の根幹とする西欧カトリック世界は、文明語としてはラテン語、文字としてはラテン文字が優越的な文化世界、より端的には、ラテン文字圏と呼ぶことができよう。

これに対し、イスラム世界は、アラビア語を第一義的文明語とする文化世界であり、アラビア文字が支配的なアラビア文字圏として規定しうる。

地中海世界における、ビザンツ世界、西欧カトリック世界、そしてイスラム世界という三つの大文化圏ないし文化世界の併存状況は、十五世紀中葉まで続くこととなった。そして、一四五三年に帝都コンスタンティノープルがオスマン帝国によって征服され、ビザンツ帝国がほぼ完全に消滅することによって、相対的に自己完結性をもつ一つの文化世界としてのビザンツ世界もまたイスラム世界に完全に包摂され、地中海世界は、イスラム世界と西欧キリスト教世界という二つの大文化圏、文化世界の相い対峙するところとなったのであった。

ブローデルの『地中海』の時間的設定において中心にすえられる十六世紀の地中海世界は、まさにこの二つの文化世界、イスラム世界と西欧キリスト教世界が、イスラム世界の優位下に相い対峙し抗争する世界であった。

地理的生態的史観からの共通性と文化圏史的差異性

ブローデルの『地中海』においては、地理的環境と生態系に基づく地中海世界の統一性が前面におし出されている。確かに地中海のほとりに生きる人びとの暮らしのある部分は、東西南北の相違をこえて、大きな共通性を示すのも事実である。その意味では、地中海世界の諸地域の共通性にアクセントをおいた地中海世界像を提示したブローデルの試みは、地中海世界理解のために、そしてまた地理的生態的環境と人間の歴史との関係を考えていくために、甚だ貴重な貢献であることに疑いはない。

しかしながら、先に言及した文化圏、文化世界の観点から地中海とその周辺の諸地域をみるとき、地理的環境と生態系に基づく共通性とほとんど同じほどに、文化の相違から生ずる差異性もまた、目につくのである。街々の景観においても、教会の塔のそびえる西欧キリスト教世界の街々と、ドームとミナレット（光塔）に飾られたモスクの林立するイスラム世界の街々は、同じような風土、同じような自然的景観のなかにあっても、全くの別世界の観を呈するのである。

これに、一方における教会の鐘楼から鳴り響く鐘の音と、他方におけるモスクのミナレットからムスリムたちを日に五回の礼拝へと誘《いざな》う祈りへの呼びかけであるアザーンの声が加わるとき、街の人びとの生活感覚を支配する音の秩序、時の秩序もまた、大きく異なっていることが実感されるのである。

地理的環境と生態系に拠るところがもっとも大きいといえる食の世界においても、食材は大きな共通性を示してはいるが、料理になると、かなりの共通性を示すとはいえ、しかしまた地域的差異に加え、文化圏による差異もまた顕著化するのである。

このような「文化」的差異は、人間集団の組み方、組織の原理と様態、「国家」のありようにおいてさらに顕著となり、美的好尚や価値体系に至って、甚だ対照的にさえなるのである。

そして、このような文化的差異の存在は、単なる上べの「衣装」の相異にとどまらず、個々の事件のレヴェルにおいても、またさらに集団の運命にとってさえ、少なからぬ影響を示すのである。

このような点を念頭におけば、地中海世界、すなわち地中海とそれと深く結びついた周辺の諸地域を総体として捉えようと試みる際にも、文化圏、文化世界の間における文化的差異を的確に捉えることもまた必要必須となる。そして、この課題は、ブローデルの『地中海』の第二部における「文明」の項においても、十分には果されえていないかにみえるのである。

すなわち、地中海世界を捉えるに際しては、ブローデルが強調した地理的生態的史観からみた共通性の把握とともに、文化圏史観の観点からする差異性の深く適確な認識もまた、甚だ重要であろう。

地理的環境と文明と文化世界

しかも、地理的生態的環境の役割は、人間の外的世界と内的世界に対する制御能力の総体としての「文明」の進展とともに、相対的に減少していく。しかも、「文明」は、相異なる文化をもつ人びとの集団によって担われ、とりわけ文化世界ごとに特有の文化的刻印をうけつつ進展していく。

このような事情の下において、共通の地理的生態的環境の下にあっても、文明の進展とともに、また文化的差異の意味が拡大していくといえよう。

ここで再び地中海世界に戻れば、地中海世界は、主として地理的環境に由来する共通性とともに、いくつかの文化世界の併存する文化的差異性をも包み込んだ世界であった。しかも、地中海の周辺に併存する文化世界のいくつかは、単に地中海のほとりにのみ立脚するものではなく、地中海世界の環境をもその一部分とする、さらに広大な拡がりを有するものであった。

ブローデルの『地中海』の主要な時間的舞台となる十六世紀の地中海世界は、文化圏、文化世界の観点からみれば、二つの文化世界、すなわち、イスラム世界と西欧キリスト教世界の併立する世界であった。

そして、イスラム世界のうち地中海世界の一画を占める部分は、東は東トルキスタン、東南アジアから、西はマグリブ、西アフリカにまで拡がるイスラム世界の全体からすれば、西北の一片にとどまった。

西欧キリスト教世界においてもまた、地中海世界に属するピレネー、アルプスの両山脈以南の地域は、全体からすればその南半であったにすぎない。

しかも、地中海のほとりに生起する出来事にとっても、全体としてのイスラム世界、全体としての西欧キリスト教世界で生起するさまざまの流れは無視しえぬ影響を有したのであり、その影響は、刻々と変化する個々の事件においてのみならず、両文化世界に生きる人びとの集団の運命、構造のありようにも深く及んだのであった。

このように考えてくれば、ブローデルによって初めて統一的把握への道が示された地中海世界についてのさらなる探求を進めていくにあたり、ブローデルの基本的立脚点となった地理的環境の共通性について知見を深めていくとともに、文化圏的差異性の観点をも深め、両側面を統一的に捉える新視点の必要性もまた、痛感されるのである。

3　歴史把握の手法について

『地中海』におけるブローデルの「全体史」の原点

ブローデルは、その処女作と呼ぶには余りに偉大な処女作『地中海』において、地中海世界をテーマとしつつ、地中海世界をその広大な空間的拡がりと、長大な時間的拡がりにおいて全体的に捉える試みを通じて、彼独自の形における「全体史」の実現を試みた。そして、その試みは、輝かしい形で成功したと評することが出来よう。

この試みに際し、ブローデルは、灰色の理論の体系をもって緑の現実をおおうが如き方法によるのではなく、地中海世界において展開される人びとの生活の営みについての、各々がきらめくように多彩な微視的なイマージュを無数につづり合わせていく作業を通じて、彼独自の巨視的な全体像を、芸術的香気を保ちつつ、鮮明に提示したのであった。

まさに、そこでは、巨視的な史観と微視のまなざしが一体となって、見事にブローデル独自の「全体史」を生み出したのであった。

いわゆるアナール派のその後への危惧

ブローデルは、『地中海』によって、歴史学者としての地位と立場を確立し、自らも新しい方向での研究を進めるとともに、彼の精神的な父親とも称さるべき、そしてフランス人文地理学と歴史学の結合の試みや心性史の先駆者でもあるリュシアン・フェーヴルらによって創刊されていた『アナール』誌に拠りつつ、後進を育てた。そして、アナール派と称される、歴史研究の新潮流が生み出された。

アナール派は、一方では、巨視的な歴史把握をめざして、一群の優れた構造史的成果を生み出した。他方では、微視のまなざしを生かした社会史、心性史の新フロンティアを開拓していった。

巨視的な構造把握においては、次第に計量的手法の比重が高まる傾向を生じた。そして、ブローデル自身もまた、かなり計量的手法に傾いていった。計量的手法に基づく構造把握は、とりわけ個別的ケースの単発的分析では明らかとなりにくい長期的趨勢などを明らかとするのに大いに貢献した。

しかし、計量的手法による構造把握への傾斜は、ともすれば、無味乾燥な形式的歴史分析に陥る可能性を秘めているかと思われる。

他方において、とりわけ「アナール派の新しい歴史学」の名の下に盛行をみている社会史や心性史、そしてとりわけそこで試みられる微視的な諸事象への沈潜は、巨視的史観を伴わぬとき、単なる瑣末主義へと向かい、全体性の喪失をもたらしえよう。

そして、このような危惧は、遺憾ながら、ある程度、現実のものとなっているかにみえる。

初期ブローデルの復興を

このような状況に対し、ブローデルの処女作『地中海』のなかに具現されていた、微視のまなざしと巨視的史観の絶妙な融合、すなわち、一見、瑣末にみえる微視的なイマージュを体系的に配置していくことを通じて、無数のイマージュをその一片々々とする巨大なモザイク画として、巨視的な全体像を提示していく手法に再びたちかえり、そこから、つきせぬ示唆をうることは、大きな意義をもつこととなろう。

まさに、歴史学に新しいフロンティアを拓きつつある構造史、社会史、心性史といった諸分野においても「初期ブローデルの復興」が求められているのではあるまいか。

そして、本邦においてもアナール派的な新しい歴史学が少なからぬ関心を惹きつけつつある今日、初期ブローデルそのものというべき、彼の『地中海』の完訳という大事業が果たされたことは、甚だ重要な意味をもつであろう。

「事件史」としての政治史と政治史の「構造化」の課題

ここで、『地中海』以後から、再び初期ブローデルの大著『地中海』に戻り、そこにおける歴史把握が後代に残した課題を考えるとき、その一つとして、『地中海』の第三部で扱われている「事件史」の問題がうかび上がってくる。

ブローデルは、この「事件史」のなかで、主として外交と政治を扱っている。しかし、ブローデルにとって、政治そして外交は、確たる構造をもつものではなく、むしろ、日々刻々と変わる短期的な時間のなかで生起する事件の集積にすぎぬものとして捉えられているかにみえる。

ただ、「戦争」と、そして「帝国」という二つのテーマのみが、第二部の緩慢にのみ変化していく人間の集団の運命、構造とその変動の歴史のなかにすくい上げられている。しかし、そこでも、戦争についての叙述中、もっとも精彩を帯びるのは、これまた地中海世界の生活の一形態というべき海賊行為についての章である。そして、「帝国」についての叙述もまた、構造史の一部分にも位置するにもかかわらず、「事件史」としての政治史の延長線上にとどまっているように思われる。社会経済生活については、あれほど印象的な構造的把握が展開されているのに比して、政治的・外交的諸事件から「帝国」に至るまでの政治生活については、構造的把握の試みが、いまだ十分に展開されていない。

そして、そこでは、政治と外交を、刻々と推移していく事件の集積、確たる構造をもたぬ偶然のつみ重なりとして捉える、意外に伝統的な政治観がなお払拭されえていないかにみえるのである。すなわち、ブローデル的な諸設定の下においてもなお、人間の活動のこの領域において、より構造的な把握のための努力の余地が、なお多分に残されているかにみえる。ブローデル的前提の下においてもなお、政治史の構造化を通じて、政治という人間の活動の領域の少なくとも一部を、「何の意味もないがやがや」とでもいうべき単なる事件の世界からとき放つことができよう。

ここにもまた、ブローデルがわれわれに残した今後の探求のための課題の一つが残されているのである。

さらに、ブローデル的諸前提をこえて、地理的生態的環境と並び、大文化圏、文化世界の問題をも正面にすえて、両者の相関として歴史を捉えていく視座を前提とするとき、政治、外交、そして「帝国」の問題を、より構造化された形で捉えつつ、人間の活動の歴史の全体のなかに位置づけ直すことができるように思われる。

ただ、ここでも再び思いおこされるのは、欠けているかにみえる点によってもまた、今後の研究の課題についてつきせぬ示唆を与えうる、ブローデルの『地中海』の視野の広さ、内容の豊かさであり、そしてさらに人の想像力をかきたて新たな問題発見へと導く、この書の独創性である。

四　再び十六世紀の地中海へ

1　ブローデルの採り上げた時代

ブローデルの『地中海』は、そのテーマの壮大さと、そこで用いられた歴史把握の斬新さによって、二十世紀の歴史学の歴史における記念碑の一つとなった。

と同時に、ブローデルのこの書は、その時代設定の適切さによって、地中海について物語られてきたさまざまの歴史書のなかで、際立った位置をしめている。

地中海は、古代以来、「旧世界」の三大陸、すなわちアジア、ヨーロッパ、アフリカの三大陸における交通と交易の大動脈の輻輳するところであり、西の一大ターミナルであった。地中海のこの位置に影がさし始めるのは、まさに、地中海における交通と交易のネットワークにおけるヘゲモニー争いから生じた、西欧人たちの「大航海時代」の開始以降のことであった。そして、その「大航海時代」は、一四九二年、コロンブスのアメリカ大陸到達とともに始まったのであった。

ブローデルの『地中海』の直接の舞台は、十六世紀、それも後半の地中海である。そして、十六世紀という時代は、地中海がなお、「旧世界」の三大陸の西半においてもっとも強い光輝を放つ中心であり続けながらも、その地位が、その蔭で進行しつつあった「大航海時代」の進展によって、それと十分には気づかれぬ間に、徐々に掘りくずされていった時代であった。

とりわけ、彼の書物の原題に挙げられる「フェリーペ二世の時代」すなわち、その在位期間にあたる西暦一五五六年から一五九八年にかけての時代は、古代以来の地中海、「旧世界」の三大陸の西のターミナルとしての地中海の長い歴史において、地中海が古代以来の光輝を放った最後の時代であった。

その意味で、ブローデルの『地中海』は、古代以来の地中海の栄光を、そのクライマックスにおいて捉えた作品であるといえる。

それは、現に彼の眼前にある地中海をこよなく愛した歴史家の、「歴史的存在としての地中海」とでもいうべきものへの壮麗な挽歌であったともいえよう。

そして、このような時代設定によって、ブローデルはまた、古代以来、十七世紀に至り「大洋航海の時代」に入るまでの地中海とその周辺諸地域における人間の営みの諸相を、すでに完結した全体として捉えることを可能としたともいうことができよう。

2 「イスラムの海」としての地中海のクライマックス

しかも、彼の著作の直接の対象として設定された時代に、地中海世界のほぼ四分の三を包摂し、地中海におけるヘゲモニーを握っていたのは、ムスリムたちであった。

七世紀中葉、「アラブの大征服」によって始まったイスラム世界の形成の過程のなかで、地中海のほとりの少なくも三分の二から四分の三は、以後、ひき続いてイスラム世界に属することとなった。そして、少なくも十一世紀以降、地中海の海上のヘゲモニーもまたムスリム側へと傾き、地中海は、ほとんどムスリムたちにとっての「われらが海」、「イスラムの海」と化した。

そして、十四世紀から十五世紀中葉にかけてのオスマン帝国によるビザンツ世界のイスラム世界への包摂の試みのなかで、地中海世界の東半は完全にムスリムの支配下に入り、西地中海へと向かう東西交易の流れは、ほとんど完全にムスリムの手中に帰した。いわゆる「大航海時代」は、このような状況に対する、西欧キリスト教世界の人びとの反応の一結果であった。

ブローデルの『地中海』の直接の舞台となった頃の地中海世界、すなわち十六世紀、とりわけその後半の地中海世界についてみれば、前近代イスラム世界における最後のイスラム的世界帝国というべきオスマン帝国が、そのほぼ四分の三を支配下においていた時代であった。そして、海上においても、オスマン帝国は、十六世紀前半に東地中海の制海権を手中に収めたのち、西地中海にも手を伸ばし、西地中海における覇権をめぐって、優勢の下にハプスブルク勢力と抗争を繰り拡げている時代であった。

そして、一五七一年のレパントの海戦における敗戦もまた、ブローデルが『地中海』においてこの事件を位置づけたようにオスマン帝国の地中海における覇権の終焉をもたらしたわけではなかった。レパントの海戦もまた一つのエピソードをなす、オスマン帝国とハプスブルク勢力との長年の抗争は、実は、一五七四年にオスマン側がチュニスでの支配権を最終的に確立したことによって終りをつげたのであった。

しかし、「イスラムの海」としての地中海の光輝もまた、十七世紀に入り、地中海そのものの、グローバルな交通と交易のネットワークのなかでの地盤沈下によって、失われていった。

その意味では、ブローデルの『地中海』の直接の対象となった時代は、「イスラムの海」としての地中海のクライマックスにあたる時代でもあった。

3 地中海世界の統一的把握のための出発点としての古典

それ故、ブローデルの『地中海』を、そこにみられる問題点、残された課題をも含めて再検討していくことは、「イスラムの海」としての地中海、ひいては、イスラム世界と世界大の交通と交易のネットワークとのかかわりをも、そのクライマックスにおいて、再検討することにも通ずる。そして、かような課題にとりくむことによって、地中海世界の東と西とをあわせた真の統一的把握のいとぐちを手中にしうることとなろう。

ブローデルの『地中海』は、その意味でも、地中海世界研究の古典であるとともに、地中海世界研究のための新たなさまざまの試みにとっても、その出発点を提供する、今も生き生きとした学術的価値を保つ労作なのである。

コメント

『地中海』と歴史学

二宮宏之

フランスの近世史をやっております二宮です。ただいま、鈴木さんからたいへん見事な基調報告を伺いました。私はフランス史を専攻しております関係で、ブローデルの世界とは長いつきあいがありますけれども、ブローデルの占めている場を鮮やかに照らしだした御報告に接し、たいへん感動いたしました。

鈴木さんは、黒海と東地中海を結ぶ海峡でありますボスポラスのほとりで、寒い冬の三か月をかけて、ブローデルの『地中海』を読まれたそうであります。まさに地中海との接点ともいうべき場で、地中海への熱い想いを抱きつつ、このブローデルの本を読まれたという、その想いが御報告からもよく伝わってまいりますが、じつはブローデル自身にとっても、地中海という世界はたいへんに想いのこもった世界だったのだと思います。

地中海への熱き想い

ブローデルは、御存知の方が多いと思いますが、フランス東部のロレーヌ地方の生まれであります。アルザス・ロレーヌと言われますように、ドイツに近いところで、言葉の面でもゲルマン語系の地域語が語られている地域であります。そういう地方に生まれましたブローデルが、大学を終え二十代のごく若い時期に、アルジェリアのコンスタンチーヌという町の高校の教師になったのでした。そのあとアルジェの高校に移りますが、三十代の初めまで十年間、地中海を眼前にして過ごすことになります。ロレーヌ地方の冬は暗いどんよりとした空がたれこめているのですが、そういう風土で幼時を過ごしたブローデルが、南の、しかも海を越えてさらに向こうの北アフリカを経験したわけで、そのことが、彼の心のなかで地中海世界が非常に大きな魅力を形づくった重要な契機ではなかったかと思います。この点では、たとえばゲーテやカロッサが、『イタリア紀行』に見られますように、アルプスを越えたイタリアに熱い想いを捧げたことが想起されますが、同じようなことが北フランス生まれの人間にも見られるところがあって、ブローデルの地中海への想いにもそういう背景があったのではないでしょうか。

しかも、このブローデルの地中海への想いには、それがいっそう増幅される事情がありました。ブローデルは、アルジェリアのあと、今度はブラジルに赴きサン・パウロ大学で教えますが、一九三七年パリに戻ってまいりますと、さきほどの鈴木さんのお話にもありましたように、ほどなく第二次大戦が始まりまして、マジノ線の防衛のために従軍していたブローデルは捕虜になってしまいました。そしてドイツのマインツに送られ、その後、リューベックの収容所に移されて、一九四五年に帰って来るまでそこで過ごしたわけであります。将校でありましたから、収容所の条件はそれほど悪くなかったようで、なにがしかの仕事もできないわけではなかった。ただ、これまたリューベックのような北の暗い町に閉じ込められまして、若き日に自分が研究してきた地中海世界に想いを馳せ、それを記憶だけを頼りにありあわせのノートに書き記していったというんですね。ですから、彼の文体は一種パセティックなんです。やや美文調にすぎる感もありますが、この文体と非常にマッチした想いが、『地中海』という作品のなかにはこめられているように思います。

そういう意味で、鈴木さんがボスポラスで想いを寄せられたのと似た地中海との関係が、ブローデルにもあった。そういうものとして彼はこの作品を書いたのだということを心得ておきたいと思います。

地域をどう捉えるか

この作品の主題を、彼は「地中海と地中海世界」というふうに名付けました。地中海という海だけを問題にしたのではなく、むしろ主役は地中海をとりかこむ地中海世界のほうにあったことに気をつけておきたいと思いますが、このように「地域」を主題にするという発想は、フランスの歴史学のなかで、けっして突然変異的なものではありません。これは御存知のとおり、フランスの現代歴史学が成立します一番根っこのところには、人文地理学との深い交流があったからでして、アナール学派と呼ばれる歴史学が生まれました時には、この人文地理学の遺産を大きく受け継いでおりました。ですからフランスの歴史家たちのあいだでは、ブローデル以前から、国家の歴史とか政治的な単位の歴史ではなしに、人間の生きている具体的な場を問題にし、「地域」の歴史としてそれを解いていこうとする発想、意識的にそのような歴史学であろうとする決意が、すでに明瞭に表明されていたのでした。

ブローデルの先生筋にあたりますリュシアン・フェーヴルは、『アナール』の生みの親の一人でありますが、リュシアン・フェーヴルの学位論文『フェリペ二世とフランシュ＝コンテ』は、その頃は神聖ローマ帝国に属していましたが、いまはフランス共和国の一部になっておりますフランシュ＝コンテという地域を主役にしておりました。そしてまた、ブローデルの場合と同じく、十六世紀後半のフェリペ二世の時代を選び、長期的持続と短期的変動の兼ね合いのなかで歴史を捉えようとしているのです。このような発想が、すでにこの一九一一年の学位論文の中で表明されていたわけであります。

ですから、そういう方法的視点だけに関していえば、ブローデルがはじめてそれに取り組んだわけではありません。しかし、リュシアン・フェーヴルにしましても、その他、人文地理学者の多くにしましても、やがてフランス国家の一地域となりますノルマンディーとか、ピカルディーとか、ブルゴーニュとか――フランシュ＝コンテもそうでありますが――そういう「地域」を問題にしまして、それがフランスという国家の中に政治的な枠組としては組み込まれてはいるけれども、独自の歴史的世界を構成しているのだということを明らかにしようとしたのでした。

地中海世界の独自性

ところが、ブローデルの場合は、さらに大きく飛躍しまして、地中海世界という、国家の枠組を越えてしまった世界、しかも、さきほどの鈴木さんの御指摘にありますように、さまざまな文化、さまざまな宗教が併存している地域、それら多様な要素を包みこんでいる一つの世界を主人公として設定した。その点で、ブローデルの『地中海と地中海世界』（邦訳『地中海』）は同じ地域史研究といいましても、それまでのアナール学派の歴史から見て、大きな飛躍の一歩であったと思います。

じつを申しますと、こういう対象の設定のしかたはフランスの歴史家は苦手なんですね。フランスの歴史家は国家の枠組というものを常々批判しておりますけれども、どうもフランスという六角形からは出られないところがあります。本日の後半のテーマである「海から見た歴史」というようなことになりますと、フランスの歴史家の仕事は概して貧弱なんですが、それはフランス人がわりあい陸地的な感覚をもっている人たちで、歴史家も陸地の視点を脱することがはなはだ不得手だということがあるのだと思います。ブローデルの場合は、さきほど申しましたように、若き日の最初の経験がすでに海を越えていたという、そういうこともありまして、大きく飛躍することができたのであろうと思います。

さて、ブローデルは、収容所生活という異常な状況のなかで、この『地中海と地中海世界』に着手し、解放後、記憶によって作られた原稿に手を加え、一九四七年に博士論文として提出したのでした。学位論文として、それは異例の書物でありました。文体においても異例でありますし、モザイク的な手法にしましても、これは普通の学位論文では見ることのできないような作品でありました。サロンに出品しても拒否されてしまった印象派の画家が、後になって大画家だと認められるというようなことがここで起こっても不思議はなかったかもしれないのですが、幸いにも戦後の大きな変動の時期にぶつかっており、審査にあたった歴史家も大きく眼を見開こうとしていた人たちであったということもありまして、ブローデルのこの異色の作品は高い評価をもって受けいれられたのでした。こうして、一九四九年には初版が刊行され、ブローデルは、フランスにおける現代歴史学の担い手として、確固たる地位を占めることになったわけです。

『地中海』以後

ブローデルのその後のことを、やや先回りしてお話ししておきますと、このようにブローデルは、地中海世界に深い想いを込めた作品を四九年に刊行しますが、それから一七年の後、再版を六六年に出すにあたって、大きく手を加えました。さきほど鈴木さんが指摘された数量的な分析は、この再版においてその大部分が書き加えられたものでして、初版では数量的データはわずかしかありません。この再版における改訂には、ブローデルの方法を考える上でいろいろ問題があります。

じつは、私がブローデルに最初に出会いましたのは一九六〇年代の初めなのですが、その頃、ブローデルはもう地中海世界から大きくはみ出してしまっておりました。「『地中海と地中海世界』は私にとっては過去の本だ、他人の本のような気がするほどだ」というようなことを演習での話のなかで口にしたりもしていました。それを文字通りにとることはできないと思いますが、そう言ってもおかしくないような方向を、この時期のブローデルは探っていたとも言えます。地中海世界というような、人間が生きている濃密な空間をいわば全体史的に問題にするよりは、もっと広く、世界的な関係性へと目を向けようとしていたのです。そして、価格史の研究や貿易動向の研究に熱中し、数量的データを使って世界経済ネットワークがどのように形成されていたかを明らかにする方向に向かっていきました。もちろん、その場合にも、単に一番表面に現れてくる資本主義的な関係だけを捉えようとしていたのではないことは、彼のもう一つの代表作、『物質文明・経済・資本主義』というあの大著において、三階建ての構造として世界を解き明かそうとしているところを見れば一目瞭然でありますが、それにもかかわらず、『地中海と地中海世界』における対象の設定のしかたとは大きく変わってきているように思います。

さらにもう少し先まで見通しておきますと、ブローデルは、晩年にいたりましてから、『フランスのアイデンティティ』という書物――これは残念ながら未完で終わってしまいましたが――を書きはじめました。今度は文化共同体としてのフランスへの回帰なのです。地中海世界という形で一度フランスを解体したブローデルが、今度は、フランスという六角形の世界の一体性に戻ろうとした。これもなかなか意味深長なところがありまして、『地中海と地中海世界』という作品を考えるときにも、ブローデルのこのような歩みを同時に頭においておく必要があります。どちらへ向かっていくのが望ましい方向であるかということにはおおいに議論がありえますが、いま、『地中海と地中海世界』だけを取り上げて、これがブローデルの世界のすべてだというふうに思ってしまうと、それはずいぶん偏った見方になってしまうでしょう。

ブローデルとその後の世代

このように、ブローデルの歩みを辿ってみますと、八十三歳で歿するまで、じつに堂々たる人生でありましたが、今回日本語に完訳されました『地中海と地中海世界』は、まさにその最初の金字塔でありました。鈴木さんが見事にお話しくださいましたので、この作品の画期性、それからまた、現代から見た問題性、そのどちらについても、私としてつけ加えるところはほとんどないように思います。ただ、鈴木さんの御指摘とやや重なるかたちになりますが、その後のアナール派との関係で、二、三の点をお話ししまして、フランス歴史学の現状とブローデルとのかかわりという、若干問題を含む論点にふれておきたいと思います。

長期的持続と歴史的転換

一つは、ブローデルは生態学的な環境を重視します。それが彼の最大の貢献であったと言ってもよいぐらいに重要視いたしました。ドイツの地理学には「決定論」的な色彩が非常に強かったのに対して、フランスの人文地理学者は、「可能論《ポシビリスム》」などとも呼ばれますように、人間が働きかけて環境を変えていくことができるのだという方向へかなり突っ走った面があります。そういうフランスの人文地理学の伝統、もちろんそれをブローデルも踏まえてはいたわけですが、じつを言えば、ブローデルは、生態学的な環境が人間に対しておよぼす力を、はるかに重く考えていたと思います。もちろん、それは「決定論」と呼びうるようなものではない。この長大な時間のなかで持続していく生態学的環境というものも、人間の働きによってさまざまな形に姿を変えるのであるし、そもそも「環境」とはそうした人間と自然の相互作用の帰結だと捉えていたには違いないのですが、たとえば地中海世界の一体性を考える場合に、長期的に持続する生態学的条件が歴史に対して持つ重みというものを非常に大きく考えていたのでして、それが今日、エコロジストがブローデルを高く評価する理由でもあります。

ところでブローデルは、やはり歴史家でありますから、そういう長大な時間のなかで持続している環境というものと、歴史的な変化とを、どう組み合わせて考えるかという問題にどうしてもぶつかります。同じ地中海世界というものを捉えるにしましても、空間論的にいえば、古代から今日にいたるまで、地中海世界は、浮き沈みはあるにしても一つの地域として持続してきたという言い方になります。しかし歴史家の場合は、それだけではすまない。時代によって地中海世界が果たした役割は変わったのではないか、地中海地域という枠組自体が歴史的状況のなかで生み出され、また、一つの世界だと歴史家によって認識されたのであり、そうした歴史認識の枠組のあり方とその転換に目を向けていく必要があるのではないかということになります。歴史学のほうでしばしば指摘されますのは、古代には確かに地中海世界が中心であったが、その後、中世ヨーロッパが成立する時に、重心は北へ移って、地中海世界の一体性は解体した。この古代地中海世界の解体があったからこそ、新しい中世ヨーロッパが成立しえたんだという見方であります。こういう考え方自体にもいろいろ批判が出てきていることは確かですが、中世ヨーロッパが、古代の地中海世界をそのまま引き継いでいたのではないということは言えるでしょう。中世後半から十六世紀になりますと、地中海世界がレヴァント貿易などを通じてふたたび主役に復活してくる。そしてまさにこの時期の地中海世界を、ブローデルは問題にしたのでした。ところが、さらにその先の歴史的展開を見渡してみますと、ヨーロッパは「地中海型ヨーロッパ」

から「大西洋型ヨーロッパ」へと転換していくことになります。じっさい、固有の近代の担い手となるのは、地中海型のヨーロッパではなくて、大西洋型のヨーロッパでありました。

こういうふうに考えてみますと、ヨーロッパの故郷・地中海というような言い方をするにしましても、地中海というものの歴史的な意味づけは大きく変わってくるところがあります。大西洋型ヨーロッパというものが生まれてくるなかで、地中海世界はどうなってしまったと考えるのかという問題。ブローデルはそのことにこの大著の最後のほうでごく簡単にふれているのみで、立ち入って考察しておりません。あまりふれたくないテーマだったのかもしれません。彼の八十歳を記念して、「ブローデルと語る」という大シンポジウムがフランスで開かれました時に、彼の愛弟子でありましたモーリス・エマールという歴史家が、まさにその問題をブローデルに質問をいたしましたが、ブローデルは、そういうつまらぬ質問には答えないというような態度をとりました。しかしこれは、ブローデルにとっても非常に大きな問題であって、そこをどう語ったらいいのか、環境重視の歴史家、「長期的持続」の歴史家としては、むずかしいところがあったのではないかと思います。

そういう長期的持続と歴史的変化の問題、これが第一であります。

固い構造か流動的なシステムか

第二は、生態学的な条件の共通性ということを強調しますと、それは生活様式の共通性にまでおよんでくるわけでして、家族のあり方とか、村のあり方とか、われわれがいま、「ソシアビリテ」と呼んでいる社会的結合のもろもろの関係にまで、そういう生態学的な条件の影響がおよんでくる。その際に、そういう一体性をまず前提にしてしまうのか、それとも、さまざまな交流や交渉のなかで、ある共通性が生まれてくる過程の方に注目し、固定した構造ではなく相互連関の動的な網の目を問題にするのか。最近の議論で言いますと、「ソシアビリテ論」に対する「ネットワーク論」というような形で提起されている問題がここにかかわってきます。一体的な構造というものを大前提にしてしまうような考え方に対しては、交渉のなかで新たに共通性が生まれてくる過程をこそ明らかにすべきなのだという考え方が次第に強くなってきているように思いますが、そういう議論のなかで、ブローデルの地中海世界の捉え方をどのように位置づけることができるかという問題があろうかと思います。

文化のファクター・政治のファクター

第三には、文化的ファクターや政治的ファクターの捉え方の問題で、これも鈴木さんがおっしゃいましたとおりで、最近、おおいに論じられているところです。宗教の問題を抜きにして地中海を語れるのかということが第一にありますし、政治の問題にしましても、近年関心を呼んでおります「政治文化」(ポリティカル・カルチャー)という形で論じますときの政治は、けっして表層の歴史ではありません。そういうことになってみますと、地中海世界という独特の環境のなかから生まれてくる政治文化はどのようなものであったかを解いていかなくてはなりません。これはけっして表層の事件史のレベルではなくて、深層のレベルにかかわってくるであろうと思います。この点も、ブローデルの書物の弱点だと思います。こうした政治的ファクターや文化的ファクターをどうとり入れるかという問題は、ブローデルの後に、フランスの歴史家たちが歴史人類学の方向へぐっと傾斜していくなかで、おおいに論じられたところでありました。そのようなわけで、いわゆるアナール第三世代、第四世代のあいだでは、ブローデルはむしろ批判の対象でもありました。この辺も、ブローデルの『地中海と地中海世界』を読む際の問題点の一つでしょう。あの大著の、一部・二部・三部の関係をどのように考えるかということになります。

ミクロとマクロ――方法上の問題

最後に、方法上の問題として、ミクロとマクロの関係にふれておくことにしましょう。微視的なイマージュをちりばめながら巨大なモザイク絵画をつくり上げた、と鈴木さんが適切に指摘をされました彼の手法の問題です。ここにもまた非常にむずかしい問題がありますね。つまり、ミクロのアプローチとマクロの見取図の関係をどう考えたらよいのかということですね。この点に関しては、御存知のとおり、ミクロストーリア（「微視の歴史学」）の立場から、ギンズブルグらによって厳しい議論が展開されてきました。一点斬り込み型のミクロストーリアの方法と、ブローデルのモザイク画の手法とでは、ミクロに見ていくという点では重なり合うところがありますが、大きな構図の入れ方では決定的に異なります。

ブローデルは、ミクロな視点とマクロな構図とのかかわりを、数量史の方法を用いることで解こうとしたふしがあります。六〇年代の初めから、彼は熱烈な数量的経済史家となりますが、その成果を、自分の仕事も他の人の仕事もふくめて、六六年の第二版の中に投げ込んだんですね。とくに第二部でこの数量的方法を多用しているのですが、それは人口動態や経済変動の分析には有効に働きましたけれども、それで直ちに、巨大なモザイク画面ができ上がるかといえば、けっしてそうではありません。ミクロストーリアの方法、それから数量史の方法というものと重ね合わせながら、ブローデルの方法をどう考えるか、これは、歴史家にとって、たいへん興味深いテーマであろうかと思います。

のびゆく本

ブローデルの書物は、こういうさまざまな問題をふくみながら、議論の対象となっているわけでありますが、すでにおわかりのとおり、こういう議論を巻き起こし、若い世代を興奮させ、そして新しい世代にさらに一歩先へ進むよう促しているという意味で、五十年前に出ました『地中海と地中海世界』は非常に大きな書物であったと思います。リュシアン・フェーヴルは、この学位論文が刊行されました時に、長い書評を書きまして、「のびゆく本」という表現になぞらえながら、「のびゆく本」というタイトルをつけました。まさに、『地中海』というこの書物は「のびゆく本」に他なりません。

御静聴ありがとうございました。

コメント

『地中海』とイスラム世界

山内昌之

文明論としての『地中海』

もうすでにお二方から、それぞれの御専門や御関心から、非常に適切で要を得た御報告がございました。私はお二方とは違った角度で、むしろブローデルについての従来の読み方、あるいは正統的な評価とややずれるような点で、私なりに少し、ブローデルをイスラム研究の立場から読んでいる私自身の関心を中心にお話ししてみたいと思います。とくに時間の関係で二点だけ申し上げておきたいと思います。

一つは、ブローデルの著作『地中海』の文明論的な意義ということでございます。それから二番目には、彼は事件史というものを軽蔑した歴史家でありながら、じつは叙述において非常にすぐれた才能を示している点において歴史の叙述という点に、彼の本領の一端が発揮されているという、この二つであります。

まず最初に、彼の、文明論を語る学者としての才能という面で申します。とくに文明論というのは、何と申しましても、現代のかかえる構造をどのように照射するのかということが根本であります。その点、ブローデルは、たとえば地中海を素材にしながら、人間の移動、彼が描いた時代におけるキリスト教文明における人口の過剰という問題を取りあげ、反対に、イスラム世界における住民の希少、人口の慢性的な不足ということについてふれております。この構造というものが、西方キリスト教世界と東方イスラム世界の地中海をめぐるある種の動き、ベクトルの性格というものを特徴づけた、このように述べているわけです。

じつは現代世界をつらつら見ますに、この要素がまったく逆であることは興味深いのです。現在の人口の移動、人口の不足と人口の過剰という現象は、ヨーロッパとイスラム世界ではまったく逆に生じているわけです。少子化がますます進む西欧を中心としたヨーロッパ世界、それから多産化がますます深刻な問題となっている東方のイスラム世界です。この人口の移動というのは、まさにブローデルが描いた時代と端的に逆転したわけです。こうした点で、十六世紀の人間がキリスト教世界からイスラム世界に列をなして移動したというような現象、ここにはらまれている人口移動のさまざまな動機や背景というものは、現代のわれわれの二十世紀から二十一世紀にかけての人口問題というものを考える際に、たいへん大きな手掛かりを与えてくれるということでございます。

文明の衝突?

こうした問題を考える際に、イスラムの側の見方から申しますと、ブローデルが扱っている興味深い現象といたしまして、イスラム研究者が、本来であるならば、もう少しきちんと果たさなければならなかった研究対象なのですが、イベリア半島におけるいわゆるレコンキスタと呼ばれる、スペインの統一国家の形成過程において生み出された、普通、モリスコと呼ばれている人たちの存在があります。ブローデルは、このモリスコに注目いたしました。モリスコというのは、イベリア半島でキリスト教徒に改宗した人々、あるいはその子孫たちを指しています。モリスコたちに対する扱いというものを見ることによって、ブローデルは、じつはイスラムとキリスト教の文明の接触、ひいては少し前に『フォーリン・アフェアズ』で話題になりましたサミュエル・ハンチントンの「文明の衝突」というテーゼにもかかわるような議論をしている、という点に注目したいと思うわけです。

ブローデルの見方というのは、さきほど、鈴木董さんから、時代的な制約という点でやむを得ないという御指摘がありました。ここでいたずらに、その細部の、ミクロな部分における彼のイスラム理解の問題点を指摘するというのは、まことにフェアではないわけでありますが、あえて、『地中海』における彼のイスラム観の大きな問題点を一つだけ指摘しておきますと、イスラムを砂漠の宗教だと考える見方です。これはもはや世界的に、西欧の学者もふくめてほとんど成り立たない理解でございまして、むしろイスラムは都市の宗教である。商業民、そして商業民族が担い、それを海洋なども経由して各地に伝搬した宗教であると考えるべきであろうかと思います。

アメリカとの比較

そうした点を一方でもちながら、文化の接触や衝突という点にふれる際のブローデルの見方というのは、それではまったく制約だけにとらわれているかと申しますと、そうとばかり言えないわけです。たとえば、「征服されたモリスコが、いわば敗者のプロレタリアートである」というような表現をしている。これは非常にフェアな見方でありまして、キリスト教徒の領主によって非常に過酷に取り扱われるという指摘がなされております。この点は、とくに都会においても、あるいは田舎においても、「狂信的かつ冷酷な」という表現を使っておりますが、狂信的かつ冷酷なキリスト教徒のプロレタリアートによって、さらに疎外や差別が行なわれるというような構図で考え、これを説明するのに、さらにブローデルは、アメリカ合衆国の南部における黒人の奴隷、アフリカから連れて来られたアフリカ系アメリカ人の奴隷の問題と、アメリカ南部におけるプア・ホワイトと呼ばれる、貧しい白人との関係などになぞらえたりしています。

このような見方というのは、とくに文明論を語る場合に、まことに欠かせない視点とセンスでありまして、このあたりに、十六世紀を中心とした地中海を語りながら、そして十七世紀というものを射程に入れながら語っているブローデルのなかにおいて、非常に現代的なセンスというものが研ぎ澄まされているということ、これが『地中海』から学ぶべき点の一つではないかと思います。

イスラム脅威論

同時に、この文明論というものが、イスラムを射程に入れているという点において、やはり評価されてしかるべきではないかと思います。もし、ブローデルが現在生きているとするならば、おそらく今日のボスニア・ヘルツェゴヴィナにおけるセルビア正教徒と、カトリック教徒としてのクロアチア人、さらにイスラム教徒としての民族的カテゴリーに組み込まれたムスリムたちとの関係などについて、おそらく示唆的な言及が果たされたのではないか、そういうところまで、私どもの想像を誘う書物ではないかと思われます。

さらに、私なりにこれから引き出せることを例として述べます。スペインの悲劇という事象を見ていきますすと、スペインの悲劇というのは、しばしば勝者となったキリスト教のスペインが、オスマン帝国というイスラム国家の陰謀というフィクション、存在もしない陰謀というものを非常に巨大な幻想として描いたことによってもたらされた、と指摘しております。このような見方というのは、しばしばその後のヨーロッパのキリスト教世界が東方やイスラム世界との関係において培ってくるような、広い意味ではアジア・東方に対する黄禍論のようなもの、今日風にいうとグリーン・ペリル（緑禍論）とも表現すべきようなもの、すなわちイスラムの脅威論といった形で、現在、不断に再生産されるようなヨーロッパ人の認識構造を考えるうえでも、たいへん興味深いものがあると思われます。これが第一の点です。

ブローデルの深い愛情

第二の点は、さきほどの、フランス史とオスマン史の両専門家から適切な説明がありましたが、私は、ブローデル本人がおそらくかなり自負していると思いますけれども、彼自身の『地中海』を書く、本来の隠れたモチーフというのは、おそらく彼が愛した地中海に生き、そしてそこで死んでいった有名無名の人間たちを描こうというあたりに根本的な要因があったのではないかと思っています。その根拠としまして、たとえば、私どもイスラム研究者の側から見ますと、いくつかの点において非常に精彩のある叙述が見いだされるわけです。もっとも特徴的なのは、とくに一五七一年の、有名なレパント沖の海戦でありますレパント沖海戦というのは、申すまでもなく、スペイン、ヴェネツィア、ローマ教皇庁との合同艦隊と、オスマン海軍が衝突いたしまして、オスマン海軍が敗れる、こういう事件でありますが、この時のキリスト教側のさまざまな史料を用いた叙述あたりに、ブローデルの、地中海に生きた人間に対する思い入れというものがずいぶん生きているように思われます。

一部をちょっと浜名さんの訳をお借りして読んでみます。「戦場と化した海は、戦っている人々には、突如、人間の赤い血のように見えた」。これはおそらく同時期のキリスト教徒の史料からひいたものでありますが、最近、アメリカのイェール大学の軍事史の専門家でジェフリー・パーカーというイギリス生まれの歴史家の『ミリタリー・レボリューション』(軍事革命)が、最近、同文舘出版で『長篠合戦の世界史』というたいへん魅力的なタイトルで大久保桂子さんによる訳が出ましたが、パーカー教授もこの一節をやはりひいているわけです。ヨーロッパ人の歴史家にとっては、よほどこの部分が魅力的な叙述になっているようであります。ブローデルは、こうした箇所を引用しながら、ヴォルテールのように、レパント沖海戦を過小評価するヨーロッパ人の歴史家に対して、いわば警告を発します。「レパントだけ、あるいはレパント以降にだけ目を向けるべきではない。そうではなく、レパント以前に注意を払うべきである。その勝利というものは、ある悲惨な終わりとして見えてくる」、とも言っています。

フランスへの愛国心?

これは、ある人々に対する愛情であると当時に、じつはある世界に対する一つの、ブローデル自身が意識しているかしていないか、これはたいへん大きな問題だと私は思っておりますが、彼自身の歴史家としての個性をかなり反映した説明が次に登場いたします。それはつまり、「キリスト教世界の現実的な劣等感に終止符が打たれ、それに劣らず現実的なトルコの優位が終わりを告げたと見えてくる。キリスト教国側の勝利は、非常に暗くなりそうな未来への道を遮断したのだ」という記述が続いているわけです。すなわち、ブローデルはここで、もしヨーロッパの連合艦隊が敗れていたとするならば、おそらくナポリやシチリアが攻撃されていたであろうし、北アフリカのムスリムたちがイベリア半島に残った同胞を煽動していたかもしれないということを示唆しているわけです。

ここに見られる、ブローデルの歴史家としての基本的なまなざしや立場というのは、あえて大胆に指摘させていただきますと、彼の想像力が愛国心から来ているのではないか、ということです。それがフランス愛国心であるか、あるいはもっと広い、今日のECからEUというものに統合されていくヨーロッパを一つの場とするような愛国心であるか、ここは問わないにしましても、まぎれもなく、彼の歴史叙述の背景にあるのは、「ヨーロッパ愛国心」あるいはフランス愛国心とも言うべきものとして、じつは歴史の出来事が語られているということであります。彼は、出来事一般を否定したのではないように思えます。彼が出来事を語るときには、日本の歴史家たちがさまざまな屈折感や、さまざまな逆転したような感情から、普通は持ちうることがない、むしろ持ちうることが非常に多くの場合においてタブーとされているような素朴な愛国心という感情が、じつはブローデルの場合には、非常に生き生きとして率直に流れている。この点に私は、『地中海』という書物が感動的な迫力をもってわれわれに迫る大きな理由の一端があるのではないかと考えております。

以上、語りたい、あるいは語るべくして語りたいことはまだございますが、それについて一言だけ紹介させていただきます。私がいま勤めている東京大学教養学部で、さまざまな制度改革を進めておりまして、毎年、シンポジウムを行なっております。私どもの大学では、来年の四月から「地中海イスラム講座」というものが、正式に、制度改革で発足することになっておりまして、私もその一員ということになるわけですが、今年の十一月十一日（土）にシンポジウムをやります。「地中海」というシンポジウムをやりますので、ぜひそこにお越しいただきたいのです（笑）。じつはこのことを私はこの場で語らせていただきたいということも大きな動機でまいりました。この場をお借りして、少し紹介させていただければと思います。ここにいらっしゃる鈴木董さんをはじめとし、西洋古典学からローマ古代史、そして現代イスラムに至る、東大を中心としたメンバーが、地中海について議論することになっておりますので、ご関心の向きはぜひお越しいただければと思っております。

どうもありがとうございました。

第Ⅱ部

海から見た歴史

基調報告

海から見た歴史

川勝平太

一　ヨーロッパ史の海洋的パラダイム

1　古代史の画期――歴史の誕生

ヘロドトス（紀元前四八四―四三〇年）は紀元前五世紀に『歴史』（上・中・下巻、松平千秋訳、岩波文庫）を著わして「歴史の父」と称される。『歴史』は前五世紀のペルシャ戦争を頂点とするペルシャとギリシャとの東西抗争を話の軸にして、アテネがペルシャを打ち破る過程とその余波を、ペルシャ内外の事情を伝える説話をふんだんに織り混ぜながら描いている。それは、一見、ヨーロッパ史というより、オリエント史とも受けとれる内容である。だが、その叙述はオリエントの大陸世界とははっきり異なる海洋世界アテネを浮き彫りにした。たとえば前四八〇年のサラミスの海戦の結末を、ヘロドトスはこう物語る。

「この激戦でダレイオスの子でクセルクセスの弟に当る司令官アリアビグネスをはじめ、ペルシャ、メディアおよびその他の同盟諸国の名ある人士が多数戦死した。ギリシャ側にも若干の死者があったがその数は少数であった。ギリシャ人は泳ぎの心得があったので、船は破壊されても敵と刃を交えて戦死せぬ限り、サラミス島へ泳ぎ着いたのである。しかし、ペルシャ兵の多くは泳ぎのできぬために海中で落命した。前線の艦船が逃亡をはじめるに至って、ペルシャ艦隊の大半は撃滅の憂き目に会うこととなった。というのは後方に配置された部隊は、自分たちも王に手柄を示さんものと船を前方に進めようとあせり、逃げようとする味方の艦船に衝突したからである」（同右、下巻、二〇〇頁）。

この叙述から、ギリシャ人は泳ぎのできる海洋民であり、ペルシャ人が泳げない陸地民であることがうかがえよう。ギリシャ人の活躍した海洋の舞台はいうまでもなく地中海である。ヘロドトスが地中海を意識していたかどうかは別にして、ギリシャ人がフェニキア王の娘「エウロペ」を掠めとって以来、その名を受け継いできたヨーロッパが海洋の真っただ中すなわち地中海において誕生したことをヨーロッパ最初の歴史書は物語っているのである。

2 中世史の画期

ブローデルが二十世紀後半の最高の歴史家であるとすれば、今世紀前半の最も偉大な歴史家はベルギーのアンリ・ピレンヌ（一八六二―一九三五年）であろう。ピレンヌは有名な論文「マホメットとシャルルマーニュ」（一九二二年、ピレンヌ他、佐々木克巳訳『古代から中世へ』創文社、所収）で、北方の蛮族によるローマ文明の破壊という見方をしりぞけ、南方から襲った外圧が古代と中世との間に決定的断絶をもたらしたと論じた。外圧とはイスラム勢力である。地中海は古代にあっては「ローマの湖」であった。だが、地中海が「イスラムの湖水」になり、ヨーロッパはそこから閉め出された。カール・マルテル率いるキリスト教軍がツール・ポアチエの戦い（七三二年）でイスラム教軍を破り、両者はピレネー山脈をはさんで対峙することになったのである。こうして陸地に封じこめられたヨーロッパは、イスラム教世界と対峙することによってかえってキリスト教を支柱とする文化的統一体としての形を整えることになった。それが中世である。「文化的統一体としてのヨーロッパ」を誕生させたのはイスラム化した地中海だというのである。この論文は「イスラムなくしては、疑いもなくフランク帝国は存在しなかったであろうし、マホメットなくしては、シャルルマーニュは考えることができないであろう」という一文に要約されて結ばれている。シャルルマーニュ（カール大帝、七四二—八一四年）のフランク帝国は、九世紀から十一世紀まで封鎖状態におかれた内陸国家であったから、必然的に土地が唯一の富の源泉となる新しい経済秩序すなわち封建制を生み出さざるを得なかったのである。

ピレンヌが地中海の回復運動の端緒となった「商業の復活」というもう一つのテーゼを提起したのは、「マホメットとシャルルマーニュ」の論理的帰結である（ピレンヌ、小松芳喬他訳『中世ヨーロッパ経済史』一条書店、第一章参照）。なぜなら、ヨーロッパ中世封建社会が地中海から隔絶することによって誕生したとすれば、新時代の胎動を告げるのは地中海の回復運動でなければならないからである。フランドル低地諸邦とイタリア北部の諸都市との間に交易路が開かれ、ヴェネツィアは東ローマとの貿易に積極的に乗り出し、キオジア海戦でジェノヴァを敗って、イスラム制海権下にある東地中海の貿易を独占した。ヴェネツィアを核として、ヨーロッパは再び地中海に乗り出し、地中海はイスラムとヨーロッパの競合する海域となった。制海権をめぐる競合の帰結は、ピレンヌが見通しを立て、ブローデルが確証したように、ヨーロッパの勝利である。地中海におけるヨーロッパ制海権の回復は、中世の終焉をもたらし、近代の始まりを告げたのである。

3　近代史の画期

ブローデルは『地中海』における長大な叙述のクライマックスをレパントの海戦においた――「レパントの海戦が始まったのは一五七一年十月七日。二つの艦隊は互いに相手を探し合い、十月七日の未明、レパント湾の入り口で出し抜けに出会った。対峙するキリスト教徒とイスラム教徒、この時、どちらも驚きの色に染め上げられながら、相手の兵力を数えることができた。トルコ側は戦艦二三〇隻、キリスト教国側は二〇八隻。キリスト教国側は大勝利を収めた。難を逃れたトルコのガレー船はほんの三〇隻であった。この衝突で、トルコ側は三〇、〇〇〇人以上の死傷者と、三、〇〇〇人の捕虜を出した。ガレー船の漕ぎ手として働いていた一五、〇〇〇人の徒刑囚が解放された。キリスト教徒側は、一〇隻のガレー船を失い、死者八、〇〇〇人、負傷者二一、〇〇〇人を出した。この成功には人的な代価が高くつき、戦闘員の半数以上が戦闘不能の状態に陥った。戦場と化した海は、戦っている人々には、突如、人間の赤い血のように見えた。キリスト教世界の現実的な劣等感に終止符が打たれ、それに劣らず現実的なトルコの優位が終わりを告げた」（第Ⅲ部第四章「レパントの海戦」より抄録）。このように、血の海と化した戦闘とその余波を克明に描写しながら、ブローデルは、レパントの海戦を機に歴史の磁場が地中海から大西洋へ移る転換期を見事に描いたのである。

古代から中世への転換に関心をもったピレンヌと、中世から近世への転換に関心をもったブローデルが、期せずして、ともに海とイスラム圏とに焦点を合わせているのは偶然ではないであろう。「ヨーロッパとは何か」を読み解く視座を提供した二人の偉大な歴史家は、ヨーロッパ圏とイスラム圏とを切り離して考えるべきではなく、両者が地中海をめぐって拮抗するダイナミックな一つの文明空間を作りあげていたことを示唆している。

近世における主役の海はもはや地中海ではない。舞台となったのは大西洋とインド洋である。レパントの海戦当時、イスラムの勢力はすでに東地中海から東方にのびていた。範囲は東南アジアにまで及ぶ。環インド洋圏はイスラム交易圏であった。地中海を西方に延長拡大すれば大西洋である。地中海から大西洋へという活動舞台の移動は、「地中海世界」における西地中海（キリスト教世界）と東地中海（イスラム教世界）との拮抗関係が、大西洋とインド洋に拡大したことを意味する。当時の用語でいえば、大西洋世界は「西インド」であり、インド洋世界は「東インド」である。「西インド貿易」と「東インド貿易」は近世における二大商業分野である。商業覇権をめぐって、西インドに拠点をもつヨーロッパは、東インドに拠点をもつイスラムと対峙したのである。

そこに働いているのは海洋の支配をめぐるヨーロッパ勢力とイスラム勢力との中世以来の相拮抗するベクトルである。ヨーロッパ勢力はその争いに勝利した。近代資本主義は東西交易の主導権をめぐる争いから生まれたのである。その覇権の担い手はポルトガル、スペイン、オランダをへてイギリスへと変遷したが、いずれも海洋国家であり、大英帝国は七つの海の支配者と呼ばれた。中世における西地中海と東地中海との間に働いた力学は、近代には大西洋とインド洋との力学に拡大された。その帰結は何か。

中世から近世への転換において、「地中海世界」がイスラムの海からヨーロッパの海に変わり、イベリア半島からイスラム勢力が駆逐されたように、近代にかけて「インド洋世界」がイスラムの海からヨーロッパの海に変わっていく過程で、インド亜大陸からのイスラム勢力の駆逐が始まったのである。インドのムガール帝国（一五二六―一八五八年）はイスラム帝国であった。そのムガール帝国をイギリスは直接統治下におき、ヴィクトリア女王（在位一八三七―一九〇一年）がインド皇帝を称した。ヴィクトリア女王はイギリス国教会の首長である。イギリス国教会とは、周知のごとく一五三四年にヘンリー八世が首長令を発布して創設したものであり、イギリス国王を宗教界の最高の首長とする。イスラム教のムガール皇帝がキリスト教の首長に屈服した。イギリスがヨーロッパ列強の代表であるとすれば、ムガール帝国の植民地化は、ヨーロッパというキリスト教文明とイスラム教文明との数世紀にわたるダイナミックな力関係を決定的にキリスト教文明側にシフトさせた文明史上の大事件である。第一次大戦前、事実上、インド洋は「イギリスの湖」となっていた。第二次大戦後、イギリスは一九四七年のインド独立に際して、巧妙にもイスラム教徒を現在のパキスタンとバングラデシュに追い出した。

これを要約しよう。

第一に、古代の成立（ヘロドトス・テーゼ）、中世の成立（ピレンヌ・テーゼ）、近世の成立（ブローデル・テーゼ）というこいずれの歴史的画期にも、海の役割が決定的であったということである。

第二に、ヨーロッパとは何かを読み解く視座は、ヨーロッパ圏とイスラム圏とからなる時空間を、海洋支配をめぐって拮抗するダイナミックな一つの文明空間としてとらえうるということである。

第三に、教科書でいわれる「西洋史」は、教科書でいわれる「日本史」「東洋史（中国史）」とは異なる独自の文明空間だということである。

そこでつぎに西洋史とは異なる文明空間にある東洋史・日本史を、特に日本に焦点を当てながら、「海」からながめてみることにしよう。

二　日本史の海洋的パラダイム

日本は三七〇〇余りの島からなる島国である。ゆえに、海を渡ってくる文明の波に洗われながら社会が発達してきた。海と陸という観点から見ると、日本社会は海洋指向の時代と内陸指向の時代とを交互に繰り返している。奈良・平安時代、鎌倉時代、江戸時代は内陸指向であり、奈良時代以前、室町時代、明治時代以降の時期は海洋指向である。興味深いのは、三つの海洋指向の時代の末期に、それぞれ白村江の海戦（六六三年）の敗北、秀吉の朝鮮出兵（文禄・慶長の役、一五九二―九八年）の失敗、太平洋戦争（一九四一―四五年）の敗北を経験していることである。敗北は国家存亡の危機をもたらす。これら三つの危機を日本を襲った荒波にたとえるならば、日本社会は海外からの撤退を余儀なくされるごとに、海洋指向から一転して内陸指向に転じ、内治を優先して国内のインフラストラクチャーを整備して、新社会を生み出してきた。

1　第一の波――「日本」の誕生

中国には二八種の正史がある（正史とは、皇帝公認の歴史であるが、中華民国以降は皇帝がいないので、司馬遷『史記』から清代に編まれた『明史』までを正史の名に値するものとして「二十四史」と総称されることがある）。そのうちわが国について記すものが、『三国志』に含まれる有名な『魏氏倭人伝』のほか、一八種ある。それらは「倭」についてのみ記す『後漢書』『三国志』『晋書』『宋書』『南斉書』『梁書』『南史』『北史』『隋書』、「倭」と「日本」を併記する『旧唐書』『新唐書』、そして「日本」について記す『宋史』『元史』『新元史』『明史稿』『明史』『清史稿』『清史』に分けられる。それらを通観すれば、中国人によるわが国の呼称が唐代（六一八―九〇七年）に「倭国」から「日本」へ変わったことがわかる。

「倭」から「日本」への国号の転換を記す『旧唐書』の記述はこうである。「日本国は倭国の別種なり。その国日辺にあるをもって、故に日本をもって名となす。あるいはいう、倭国は自らその名の雅ならざるをにくみ、改めて日本となすと。あるいはいう、日本は旧（もと）小国、倭国の地を併せたり。その人、入朝する者、多く自ら矜大、実をもってこたえず。ゆえに中国これを疑う」（『旧唐書倭国日本伝・他二編』岩波文庫）。すなわち「日本国」は「倭国」とは別物だというのである。この記述は、その直前の「（貞観）二十二年に至り、また新羅に附し表を奉じて、もって起居を通ず」という記事と、直後の「長安三年その大臣朝臣真人〔粟田真人〕来りて方物を貢す。……真人好んで経史を読み、文を属するを解し、容止〔姿〕温雅なり。則点〔則天武后〕これを麟徳殿に宴し、司膳卿を授け、放ちて本国に還らしむ」という記事の間に挿入されている。貞観二十二年は六四八年、長安三年は七〇三年であるから、この間、五五年である。そのどこかで「倭」から「日本」への国名の転換があった。中国から見るかぎり、この列島には七世紀以前には「倭国」だけが存在し、「日本」という国は七世紀後半になって初めてこの列島に誕生した。この時期の主な出来事を年表で示せば、

六六三年　白村江海戦で敗北
六六七年　近江大津宮へ遷都
六六八年　皇太子中大兄皇子の即位
六七一年　近江令の施行　天智天皇歿
六七二年　壬申の乱
六七三年　天武天皇即位
六九四年　藤原京へ遷都
七〇一年　大宝律令制定
七一〇年　平城京遷都
七二〇年　『日本書紀』

つまりこの半世紀余の期間に日本は唐の制度である律令、都城制、正史を受容した。律令

制・都城制・正史はいずれも唐の制度である。そこで唐と日本との関係に焦点を定めると、六六三年の白村江の海戦での倭の海軍の敗北がクローズアップされるだろう。白村江の敗戦直後の唐の日本に対する動きを年表で示せば、

六六四年　唐の百済鎮将の使者ら対馬に来る
六六五年　唐使筑紫に来る
六六七年　唐将の使者ら来る
六六九年　唐の使者ら二千余人来る
六七一年　沙門道久ら四人唐より対馬に帰り、唐使の来日を告げる

これらから看取できるように、白村江で倭の海軍が全滅した後、唐から軍人がたびたび来日し、六六九年には二千余人もの大集団が来ている。一種の占領軍であろう。わが国は戦勝国の唐帝国の外圧にさらされていたのである。現代日本が敗戦後、アメリカを中核とする占領軍の巨大な外圧のもとで新憲法を採択して誕生したように、七世紀後半から八世紀初めにかけて、倭国艦隊の全滅で海洋指向を断ち切られ、海洋指向から内地指向にかわり、内治を優先させ、近江令という最初の律令を制定し、天皇位を初めて設け、天智天皇が即位し、藤原京という最初の都城制の都を建設して、日本建国を行ない、それを正当化する『日本書紀』を編んだということであろう。「倭」「倭国」を海洋指向の社会、「日本」を陸

地指向の社会と読み込むと、海洋の倭国が白村江の敗戦で叩かれて壊滅したあと、大陸軍の侵攻の脅威にさらされ、この列島の担い手が恐怖に縮み上がって外向きの海域指向から内向きの内陸指向へと転換したということである（上山春平『日本の成立』文藝春秋、一九九四年、岡田英弘『日本史の誕生』弓立社、一九九四年などを参照）。

その後の六百年間余りシナ海の制海権は中国の掌中にあり、日本は内治優先を徹底させて、唐の文化を手本としつつも、国風文化を育てた。このあたりの歴史は周知のことがらに属するであろう。

2　第二の波――経済社会の誕生

国風文化をむさぼっていた日本人の安穏を破ったのは、文永・弘安の役いわゆる元寇である。文永の役（文永十一年、一二七四年）について『元史』にいわく「（至元）十一年三月、鳳州経略使忻都・高麗軍民総管洪茶丘に命じ、千料船・抜都魯軽疾舟・汲水小舟各々三百、共に九百艘を以て、士卒一万五千を載せ、期するに七月を以て日本を征せしむ。冬十月、その国に入りこれを敗らんとするも、官軍整わず、また矢尽き、ただ四境を虜掠して還る」（『元史』）。弘安の役（弘安四年、一二八一年）について、「（至元十八年）八月一日、風舟を破る。五日、文虎等の諸将、各々自ら堅好の船を択びてこれに乗り、士卒十余万を山下に棄つ。衆議して張百戸なる者を推して主帥となし、これを号して張総管といい、その約束を聴く。方に木を伐りて舟を作り還らんと欲す。七日、日本人来り戦い、尽く死し、余の二、三万は、そのために虜去せらる。九日、八角島に至り、尽く蒙古・高麗・漢人を殺し、新附軍は唐人たりといい、殺さずしてこれを奴とす。……十万の衆、還るを得たる者三人のみ」とある。

元寇は「十万の衆、還るを得たる者三人のみ」という表現に見えるとおり、惨憺たる失敗に終わった。その帰結は何か。二度の失敗で、中国はシナ海の制海権を失った。そして再び倭寇の跳梁する海洋指向の時代が訪れたのである。

十四―十六世紀の三〇〇年間は「倭寇の時代」である（田中健夫『倭寇――海の歴史』教育社歴史新書、一九八二年を参照）。環シナ海域を舞台に日本人（だけではなかったが）は暴れ回った。そのあたりの事情は村井章介『中世倭人伝』（岩波新書）に詳しく描かれているが、倭人の活動の頂点ともいうべきものが文禄・慶長の役である。これは朝鮮では「壬辰・丁酉の倭乱」と呼ばれた。秀吉の朝鮮出兵は大陸側からみれば乱暴な海賊「倭寇」以外の何者でもなかった。しかし日本軍は李舜臣の率いる水軍に翻弄され、秀吉の海外遠征は大失敗に終わった。その結果、海洋指向の「倭寇の時代」にピリオドが打たれ、続く関ケ原の合戦（一六〇〇年）では、海洋指向の西軍が陸地指向の東軍に敗れた。近世日本は海洋指向を断ち切り、「鎖国」という陸地システムをつくりあげる姿勢を明確にした。鎖国は海禁とも呼ばれる（荒野泰典『近世日本と東アジア』東京大学出版会、一九八八年、山本博文『鎖国と海禁の時代』校倉書房、一九九五年）。海禁という言葉が示しているように、鎖国には海から迫る外圧への防衛意図があった。

「倭寇の時代」から「鎖国の時代」にかけて日本は世界有数の金銀銅の産出国となり、それらは十七世紀には日本列島の大改造にあてられた。全国に一国一城というかたちで城下町が建設され、河川が改修され、新田が開発されたのである。内治優先の時代である。それとともに、金銀銅は海外の様々の物産（タバコ、木綿、生糸・絹織物、砂糖、藍、陶磁器等々）の購入にあてられた。これらが相俟って貨幣素材の深刻な不足を招いた。

新井白石（一六五七—一七二五年）の『本朝宝貨通用事略』は十七世紀におけるこの事情をもっとも的確に述べるものである（以下、抄録）。

「本朝金銀外国へ入りし総数の事

一　金六百十九万二千八百両余。慶長六年より正保四年迄凡四十六年が間に外国へ入りし大積り、ならびに正保五年より此かたの総数なり。

一　銀百十二万二千六百八十七貫目余。慶長六年より正保四年迄凡四十六年が間に外国へ入りし大積り。ならびに正保五年より此かたの総数なり。

右金銀の事は正保五年より宝永五年迄長崎一所にて外国へ入りし大数を二倍にして両口を都合せし積りなり。

一 銅二億二万二千八百九十九万七千五百斤余。慶長六年より寛文二年迄六十一年が間に外国へ入りし大積り、ならびに寛文三年よりこのかたの総数なりこれは寛文三年よりこのかたの数を二倍せし積もりなり。

右は慶長六年より宝永五年迄百七年の間に我国の金銀銅外国へ入りし所の大数也。此数を以て推す時は外国へ入りし金は只今我国にある所の金の数三分が一に当れり。我国只今の新金は古金二千万両を以て造り出せし所なりという六百十九万両を三つ合すれば大数二千万両に近し。銀は只今我国にある所の数よりは二倍ほど多く外国へ入りし也。我国の内古銀の数四十万貫目ならではなしという然るに外国へ入りし数百二十万貫目近くなれば我国の銀は殊の外に減ぜしなり。但し此大数はよほど引入れたる積りなるべし凡外国に入りし所の金銀銅の総数是よりは猶おびただしき事にや

金銀の天地の間に生ずる事これを人にたとうれば骨のごとく其余の実貨は皆々血肉皮毛のごときなり。血肉は傷れ疵つけども又々生ずるものなり。米穀布帛をはじめてもろもろの器物等皆然也。骨のごときは一たび折れ損じてぬけ出ぬれば二たび生ずると

いう事なし。金銀は天地の骨なり。五行のうち木火土水は血肉皮毛也。金は骨也。これを採る後には二たび生ずるの理なし。かくて此後も今迄の事のごとくに毎年に十四五万両を失いなば、十年にして百四五十万両を失い、百年にして千四五百万両をうしなふべし。凡て異国の物の中に薬物は人の命をすくうべきものなれば、一日もなくてはかなうべからず。是より外無用の衣服翫器の類の物に我国開け始りしより此かた神祖の御代に始て多く出たりし国の実を失わん事返す返す惜しむべき事也」

（『新井白石全集』第三巻、国書刊行会）

新井白石が「天地の骨」にたとえた金銀銅の流出をふせぐために、では、どのような対策がなされたのであろうか。輸入品を自力で生産したのである。そのモデルを提供したのは宮崎安貞（一六二三―九七年）の『農業全書』（岩波文庫版、農文協版あり）である。一六九六（元禄九）年に著された『農業全書』は、明治以前に書かれた最高の農書であるにとどまらず、日本科学史の最重要の古典である（筑波常治『日本の農書』中公新書）。その自序に危機感が吐露されている。「むかしより、年ごとに唐舟に無益の物まで多くつみきたりて交易し、我国の財を他の国の利とする事、あにおしまざらめやは。これひとへに我国の民、種芸の法をしらずして国土の利を失へるなり。また本邦の諸国にしてもこれに同じ。各我国に種植の道よく行ひ、その国の土地に出でくる物を取りて国用たりなば、多く我国の財を出して他国の物を買ひ求むる患なかるべし」と。そして、中国との競争意識が顕著である――「農政全書をはじめ唐の農書を考へ、かつ本草をうかがひ、およそ中華の農法の我国に用ひて益あるをえらびてこれをとれり」(凡例)と。

『農業全書』の生産指向が開花したのが十八世紀。十八世紀に労働集約型の生産革命いわゆる「勤勉革命」をとげて、土地の生産性が世界一になったことは、十分に注目に値する。近世社会は、身分制ながらも、人々の行動規範が経済合理性に貫かれた「経済社会」であったというのが今日の通説である(速水・宮本編『経済社会の成立』「日本経済史」第一巻、岩波書店)。

では、危機克服の形がなぜ「鎖国」に帰結したのか。宮崎安貞の危機意識にみられるように、当時の日本がモデルにしたのは中国であったからである。中国は、南船北馬といわれるように、北の「大陸中国」と南の「海洋中国」という二つの顔をもつ。「大陸中国」とは、公式の中華帝国であり、対外的には冊封体制・朝貢貿易・海禁、対内的には自給自足を建て前としている。一方、「海洋中国」はいわば非公式の中国であり、経済中心であり、自由交易を指向する「華僑」の世界であり、ボーダーレスである。一方、日本は中国より規模ははるかに小さいが西船東馬という特徴をもち、西日本は海域的性格をもち、東日本は陸地的性格をもつ。「鎖国」は、シナ海域を舞台とする「海洋中国」の外圧に対し、自給自足型の「大陸中国」の形を指向した国家体制であり、陸地指向をもつ関東が政治の中心になったのは故なきことではない。西日本の諸大名は、一六〇九（慶長十四）年に五〇〇石以上の船については軍船・商船の別なく幕府によって没収され、一六三五年には「五百石以上之船停止之事」といういわゆる大船建造禁止命が発令されて、水軍力を徹底的にそがれた（安達裕之『異様の船』平凡社、一九九五年）。海洋世界は外国人（唐人、オランダ人）の手にまかせられたのである。

かくして、近世日本は大陸中国という公式の顔を真似て、すべて自給生産した。中国には「農」を中心とする大陸中国の顔とともに、「商」という海洋中国の顔がある。後者は公式の顔ではない。日本が真似たのは公式の顔である「農」中心の大陸中国であった。それが農本主義による自給自足体制を理想とする陸地指向の鎖国日本を生んだのである。それを成立させたのは海洋中国の外圧である。

以上に略述したごとく、ヨーロッパと日本の歴史的画期を、海から眺めかえしてみると、イスラム教文化圏と対峙するキリスト教文化圏としてのヨーロッパの成立と、中国と対峙する日本の誕生がともに八―九世紀、およびヨーロッパと日本における近世の成立が十六―十七世紀であり、時期的に符合している。ユーラシア大陸の両端における歴史的画期の並行現象に気づかされるのである。前者は互いに無関係に生じており、偶然という側面をまぬかれないが、後者は日本とヨーロッパとが交流をもって以後の歴史的画期であり、偶然に帰せしむることは適当ではない。

ところで、ブローデルが『地中海』でもっとも関心をはらった時代がフェリーペ二世の生きた十六世紀であり、また『物質文明・経済・資本主義』全三巻(みすず書房)で扱われているのも、その時期を中心とした十五―十八世紀である。ヨーロッパ近世はブローデルの一貫した関心事であったことはこのことから明瞭である。この近世期(一五〇〇年頃―一八〇〇年頃)に、西ヨーロッパに「近代世界システム」、日本に「鎖国システム」という二つの経済社会が出現した。ここでは、紙幅の制約から、それぞれの経済社会の説明はウォーラーステイン『近代世界システム』(川北稔訳、岩波書店、名古屋大学出版会)、速水融・宮本又郎編『経済社会の成立』(岩波書店)に譲らせていただく。

経済社会が両地域で時期を同じくして出現したのは、私見では、両地域の人々が同じ時空間を共有し、同じような危機に直面し、類似の解決方法を見出したからである。同じ時間とは「ブローデルの世紀」ともいうべき十六世紀、同じ空間とはアジアの多島海、同じような危機とは貨幣素材の流出、類似の解決方法とは人類史上最初の生産指向の経済社会の形成である。

ただし、両地域に働いたベクトルの方向は対照的であった。ヨーロッパは外向きの開放経済体系、日本は内向きの封鎖経済体系をとった。この相異は、中世と近世のはざまで両者が体験した激烈な海戦の帰趨と無関係ではありえない。フェリーペ二世がトルコとのレパント海戦に勝利したことは、外向き指向を強化したのに対して、フェリーペ二世と同年に死去した豊臣秀吉（一五三七—一五九八年）が朝鮮出兵に失敗し、それまで外向き指向できたベクトルが、その後、内向きにならざるをえなかったということである。海戦という事件史的時間の体験において、一方は勝者、他方は敗者という決定的な相異を見せた。にもかかわらず、アジアの海で作り上げられていた構造史的時間においては、ヨーロッパと日本は相似ていたといわねばならない。それが両者に共通した現象を生んだ。一つは生産革命を経験したこと、もう一つは脱亜を達成したことである。これには若干の説明がいるだろう。

ヨーロッパは商業の復活以後、日本は倭寇の出現以後、アジア海域から大量のさまざまな物産を継続的に輸入し、輸入は拡大した。その見返りに、ヨーロッパは新大陸の貴金属を、日本は国産の貴金属（それに銅）を支払った。このような貨幣素材の流出は、その当時の両地域の社会構造に由来するものであり、一時的な性質のものではない。構造的な性質をもっているゆえに、アジア物産の輸入が長期の持続を見たのである。そこにこれまた構造的というべき、日本とヨーロッパからアジアに向けて流れる一方向的な貨幣素材の流出を観察できるのである。両者の経験した構造史的時間が相似ているという所以である。それは両方の社会に経済危機をもたらした。近世前半期においては、ヨーロッパでは重商主義政策がとられ、日本でも改鋳や金銀銅流出への抑制策が講じられた。しかし、それらは抜本的な解決策にはならない。

最終的な解決策はそれらの輸入品を自給生産することである。生産とは、生産要素(土地・労働・資本)を人間が結合する行為である。日本列島は土地が稀少であり、労働は豊富であったから、稀少な土地の生産性をあげるのが合理的な選択であった。ヨーロッパは、労働が稀少であり、海外に獲得した土地は広大であったから、稀少な労働の生産性をあげるのが合理的な選択であった。こうして十八世紀に、ヨーロッパ特に西ヨーロッパと日本で生産革命が起こったのである。西ヨーロッパで進行した生産革命は、通常、「産業革命」といわれる。これは資本集約型・労働節約型の技術で、労働の生産性をあげることによって、商品の量産を可能にした生産革命である。一方、日本で進行した生産革命は、速水融氏によって「勤勉革命」と名づけられている。これは、資本節約型・労働集約型の技術で土地の生産性をあげ、商品の量産を可能にした生産革命である。生産革命は一八〇〇年頃には軌道にのり、西ヨーロッパも日本も、アジア物産の輸入状態から基本的に脱し、自給体制を確立したのである。

その歴史的意義は何か。脱亜の達成であった、というのが適当であろう。ユーラシア大陸の両端で起こった生産革命によって、ヨーロッパはイスラム文明の海域圏（環インド洋にひろがるダウ船の海洋イスラム世界）から自立し、日本は中国文明の海域圏（環東シナ海・南シナ海にひろがるジャンク船の海洋中国）から自立した。近代世界システムの政治的特徴である「戦争と平和」の世界観がイスラムの「戦争の家」と「平和の家」の世界観に由来し、徳川日本を特徴づける「華（文明）と夷（野蛮）」の世界観は疑いなく中国の中華思想に由来する。その過程は旧アジア文明から自立して離脱したという意味で脱亜といえるのである。

十九世紀に確立した近代世界システムと鎖国システムとは、いずれもアジア経済圏からの離脱すなわち「脱亜」の完成形態である。徳川日本は国内自給であったが、近代世界システムの場合は大西洋をまたにかけた自給圏をつくりあげた。その中核的政治経済システムである大英帝国は自由貿易に立脚したが、自由貿易論はイギリス中心の自給圏の内部論理である。大英帝国は海洋自給圏、徳川日本は陸地自給圏をつくりあげたとみれば、自給方法においては相異なりつつも、脱亜の過程を色濃く特徴づける生産指向の経済社会として相似たところが見えてくるのである。

3　第三の波――ポスト・モダンの胎動

前述のように、第一の荒波は白村江での敗戦から半世紀後に「日本国家」の成立をもたらし、第二の荒波は朝鮮半島から撤退して半世紀後に鎖国を確立してアジア最初の「経済社会」の形成をうながした。両者に共通するのは、海外での軍事行動に失敗して国難を招き、敗戦・撤退からほぼ半世紀後に、従前の海洋指向とは逆の内治優先、定着型の社会を作り上げたということである。

太平洋戦争における敗戦から半世紀たった現在、新しい国土形成の基軸が情報・通信基盤の整備であることが明瞭となり、国内整備の旗印が「地方の時代」として社会的コンセンサスを獲得しつつある。第一の波が「政治の波」、第二の波が「経済の波」であったとすれば、敗戦から奇しくも半世紀が経った日本を襲っている第三の波は、冷戦終結とともにアメリカを震源地にして進行中の高度情報化ないし情報革命である。

第一、第二の波に関していえば、それが静まったときに、日本はそのときどきに内治優先の定着型社会を形成した。第三の波の衝撃を受けて、再び日本には従来とは異なる新しい社会生活のパターンが生み出されようとしている。二十一世紀には、海洋指向ないし海洋都市指向であった明治以来の社会とは一線を画した社会となる可能性が高い。というのも、情報は人がじかに移動しなくても受信・発信できるからである。

高度情報化の潮流は決して古いものではない。もとより情報化自体は十九世紀の電話・電信の普及以来連続しているが、コンピューター・テクノロジーを利用した近年の急速な高度情報化の波をもたらしたものは、ウォーラーステインのいうように「近代世界システム」の構造転換と関連しているのである。その開始を告げたのは、一九八九年十二月のブッシュ米大統領とゴルバチョフ・ソ連大統領との地中海の島国マルタでの首脳会談における冷戦の終結宣言であった。冷戦の終結は新時代の到来を告げている。それは軍拡から軍縮への転換を要請した。翌九〇年六月に米ソ首脳は戦略核兵器を削減する戦略兵器削減交渉（START）で合意に達した。軍縮は軍事予算の削減を意味する。それは軍需関連の基礎科学研究ならびに軍需関連産業にとって深刻な打撃となる。従来の膨大な軍事大国アメリカが活路を見出したのが、情報産業にほかならない。冷戦時代に未曾有の規模で構築されたアメリカの軍事情報システムが、冷戦の終結にともない民生用システムへと大転換しつつある。肥大化した軍事システムの民生用への転換の一環として、一九九一年に「情報スーパー・ハイウェイ構想」がゴア副大統領（当時上院議員）によって提言された。それは世界大に張り巡らされた軍事用の瞬時大量情報処理システムを民生用に転用するための提言である。

第三の波とは、冷戦時代の軍事情報システムの民生用への大転換が進行させている情報革命である。これは近代のパラダイム転換を生むものと予想される。近代世界システムは富国と強兵を二つの柱としてきた。軍縮の動きは近代主権国家の柱の一つ「強兵」の終焉の開始を告げている。それはまた近代のもう一つの柱である「私的所有権」にも深甚な影響を及ぼすであろう。

私的所有権を富国の基礎とする時代が終わる可能性がある。情報は分けても減らないからである。いやむしろ、情報は分けると増える。情報の情報たる所以は、それが共有されるところにある。個人の排他的な所有関係には適さないのである。情報にかかわる権利・義務関係は、目下のところ、私的所有権の脈絡で「知的所有権」として議論されているが、情報の帰属権は所有権として処理するのにはなじまないであろう。現在進行中の第三の波は、近代のパラダイムを支えてきた私的所有権の根幹をゆるがす可能性をはらんでいる。なぜなら、情報や知識は、譲渡によってはなくならないし、不動産や動産（物）のような形がないので、移動の事実を確定しがたいからである。また、新しい情報の帰属権がだれに属するかを決定するのも、情報の所有権の侵害を防止したり確認するのも、容易ではない。情報はすべての人に所有される運動をうちにはらんでいる。これをいいかえれば、だれの排他的所有にもならないことを本質とする情報は、無主であることを求めるということである。それは海域世界のもっている性質に近い。

高度情報化によって社会内部、社会間のネットワークの密度が濃くなることが、陸地史観という陸に根を張ることによってある種の排他的性格をもつ歴史像をなしくずしにしていくであろうことが予想される。ブローデルの『地中海』に弾みをつけられた海洋史観の試みはこのような時代状況と無縁ではない。

＊ 本稿は、一九九五年七月二十二日に東京で開催された、ブローデル『地中海』（全五分冊、浜名優美訳、藤原書店）の翻訳完結を記念するシンポジウムでの筆者の報告「海から見た歴史」にもとづいているが、その報告のためのノートを「文明の海洋史観——試論」（『早稲田政治経済学雑誌』第三二三号、一九九五年七月）、および「海洋史観序説」（比較文明学会編『比較文明・特集〈文明と海〉』第一一号、一九九五年十一月）と題してすでに発表し、その一部は『富国有徳論』（紀伊國屋書店、一九九五年九月）に収録された。当日は報告時間の制約のために、それらの要約を述べたにとどまったが、このたび、本書への収録にあたり、加筆した。

コメント

インド洋海域世界の観点から

家島彦一

私の専門は、イスラムの歴史について、とくに「交通」、「商業」という観点から研究しております。イスラムの歴史は、七世紀前半にはじまって、現在に至るまで一四〇〇年近い歴史があり、また広大なユーラシアと、アフリカに拡大する大きなひろがりを持って世界を形成しました。そのイスラム世界の歴史を「商業」の面から、一つの全体として捉えようとするのが、私の研究上の立場です。

本日の私のここでの役割は、ただいまの川勝さんの御報告に対するコメントでありますが、川勝さんの御報告の内容に即してコメントするべきなのか、または御報告を聞いていろいろと触発されたことを、私の専門の立場から勝手にしゃべればよいのか、いずれとも迷っております。したがって、限られた時間のなかで、私の話はそのいずれも中途半端になるかもしれませんが、説明不足の部分については総合討論のなかで加えさせていただきます。ひとまず、ただいまの御報告の内容に即して、私自身の考えを述べてみたいと思います。

川勝さんの御報告は非常にスケールの大きな興味深い内容であって、どの部分から切り込んだらいいか、たいへんむずかしいのですが、その最初と最後の部分で強調された点は、二十世紀末の世界の各国は互いに緊密な情報ネットワークで結ばれていると同時に、自立した島（島嶼）的な存在になりつつあること、したがって、現代のボーダーレス時代、あるいはネットワーク時代の到来のなかで、人びとは陸地中心的な見方から島中心的な見方といいますか、海洋的な発想へのパラダイムの転換が必要であると比喩的に説明されたことです。

この点を具体的に、歴史観の問題として、従来の陸地中心の史観ではない海洋史観にもとづく問題を提示し、説明されたわけですが、とくに興味深い点は、過去の歴史を振り返ると、西ヨーロッパ、日本史の歴史的な変革期といわれる時代には、常に海というものが決定的な役割を果たしたとの指摘であります。このことは、単に西ヨーロッパ、日本だけでなく、広く人類史に共通する現象であって、常に人間は陸地世界が行き詰まったときには、陸を離れて、豊かさを海に求め、海を舞台に移動・交流し、そのことによって新しい時代を築いてきたと言えましょう。

イスラムの歴史と海

ここで、私の専門とするイスラムの歴史と海とのかかわりを簡単に述べてみたいと思います。さきほど、山内さんが述べられたように、一般にはイスラムは砂漠の宗教として理解されていますが、イスラム史の形成と展開のうえで海、なかでも地中海とアラビア海、インド洋がとくに重要な役割を果たしたと、私は考えております。イスラムの興《おこ》ったアラビア半島を見ても明らかなように、その四方はペルシャ湾、アラビア海、紅海、地中海の海に囲まれています。またアラブ大征服の時代、イスラムの勢力は、紅海、ペルシャ湾、地中海へと大きく拡大していきました。地中海において、アラブ・イスラム軍は七世紀の半ばから後半にかけて、ビザンツ帝国の首都コンスタンティノープルを数回にわたって攻略して、東地中海に広く進出しますが、結局、この時はコンスタンティノープルを征服することはできませんでした。これが実現するのは、一四五三年にオスマン帝国の時代になってからですが、イスラム世界の支配者たちにとっては、地中海の要衝コンスタンティノープルの征服が、常に夢でした。

一方、アラビア海とインド洋に目を向けますと、八世紀の初め、アラブ・イスラム軍は中央アジア遠征と時を同じくして、ペルシャ湾岸地域からスィンド——いまのインダス川の下流域をスィンド地方と呼び、インド亜大陸のヒンドゥー世界のことはヒンドと呼びました——に対して海陸から遠征を行なって、スィンド地方がイスラム世界のなかに組み込まれました。そしてインドのさまざまな文明がイスラム世界に大きく流れ込むきっかけをつくりました。

アッバース朝の成立とインド洋

八世紀半ばには、アッバース朝がイラクのバグダードに都しました。バグダードは、ティグリス川を下ると、ペルシャ湾、アラビア海、そしてインド洋につながる海の要衝でもあります。

七世紀末から八世紀の初め、すでにペルシャ湾岸の港と中国との間には定期航路が開かれていました。したがって一つは、バグダードからペルシャ湾、そしてインド、東南アジアを経由して中国の広州、明州、揚州に至るルート、そしてもう一つは、南アラビア海岸を経由して東アフリカからマダガスカル島の北部に至るルート、の二つのメインの海上ルートがありました。そのことによって、バグダードを中心としたイスラム世界は、経済的・文化的に大きな発展を遂げたのです。十世紀後半になると、今度はファーティマ朝がエジプトのナイル・デルタの頂点にカイロを建設しました。ファーティマ朝は地中海に広く拡大しただけでなく、ヒジャーズ、イエメン、そしてスィンドなど、紅海とアラビア海を舞台に政治・宗教・経済の各方面に活動を広げました。そしてエジプトのカイロ、フスタートが地中海とインド洋とを結ぶちょうど中継上の接点として繁栄しました。それ以後のアイユーブ朝とマムルーク朝の時代も同じように、海を主軸として歴史が展開していきました。

以上のイスラムの歴史の例だけでなく、ギリシャ、ローマの歴史についても、またいわゆる「地理上の発見」の時代についても同様であります。このように、海は人類史の先導的な役割、時代の先駆けとなる役割を果たしてきたのでありますから、二十一世紀という時代もふたたび海というものがたいへんに重要な役割を果たすに違いありません。この点で、まさに川勝さんが比喩的に語っておられた島の発想が必要となってきます。

地中海世界の位置づけ

川勝さんは、まず最初にヨーロッパ史の海洋的なパラダイムを説明されました。

私が聞いておりますと、その分析にはヨーロッパ中心主義的な見方が強く出ていたという印象を受けました。川勝さんも指摘されましたように、明らかにH・ピレンヌとF・ブローデルは、西ヨーロッパ・キリスト教世界をまとめる新しい発想として、地中海世界というものを中心的な問題に設定しました。したがって、この二人の考えた地中海は、あくまでも西ヨーロッパ・キリスト教世界にとっての地中海であって、世界史のなかの地中海とか、あるいは地中海世界としての一つの全体というもの、この点をブローデルは非常に意識したにもかかわらず、どうもそれを主目的としたものではないというふうに、私は感じました。つまり、地中海はギリシャ、ローマと近代の西ヨーロッパとを直線でつなぐための歴史舞台であって、その舞台における中世の悪役は常にイスラムであったのです。イスラムがヨーロッパの歴史を区切る、その役割を強く担わされていたと、捉えられます。

ここで申し上げたい点は、陸から海を見る歴史、つまりピレンヌやブローデルのように、ヨーロッパから見る地中海、ヨーロッパとのかかわりで見る地中海の歴史と、海そのものを中心とした歴史、地中海そのものの歴史とでは、相互に意味が違うのではないかということです。陸上の領域支配を取り巻いている硬い構造(国家、王権)、あるいは整然とした統治のための法体系や行政制度などと並んで、その周辺部には、狭い地域社会とか、国家、王権の枠を越えた、言うなれば「ぼやけた空間」、また国家と国家との間の「狭間の空間」

があったことです。私はそうした歴史空間を「境域」というふうに呼んでおりますが、V・ターナーのいう、「中心」に対する「周縁」というようにも呼べると思います。私は、ある一定の広がりをもった海の世界、これを海圏、あるいは海域と呼び、それ自体で一つの全体を構成するまとまりのある歴史的世界、つまり海域世界として歴史的に位置づけたいと試みています。

海域の範囲

地域に対する海域は、具体的には海とその周縁部、英語でいえばリム（へり、端）とかボーダー（縁、端、境界）から構成されます。そこには島があり、港があり、半島、海峡、ラグーン（潟）、リーフ（礁）、湾、入江、河川の三角洲、中洲などがあって、それらを包摂する範囲です。お手元に、**図1**「海域接点と港市の成立」があります。その図を見ておわかりのように、ユーラシアとアフリカの大陸、陸塊に対して、その外縁には、東シナ海、南シナ海、ベンガル湾、アラビア海、紅海、ペルシャ湾、地中海、黒海など、東西に連なる海域ベルトがあります。海域は、いくつものある程度のまとまりをもった小海域世界に分かれ、それらが相互連関のなかで、一つの大海域世界を作っています。したがって、ユーラシア・アフリカの全体史は、大陸の歴史と海域の歴史の相互のかかわりのなかで、ダ

図1　海域接点と港市の成立

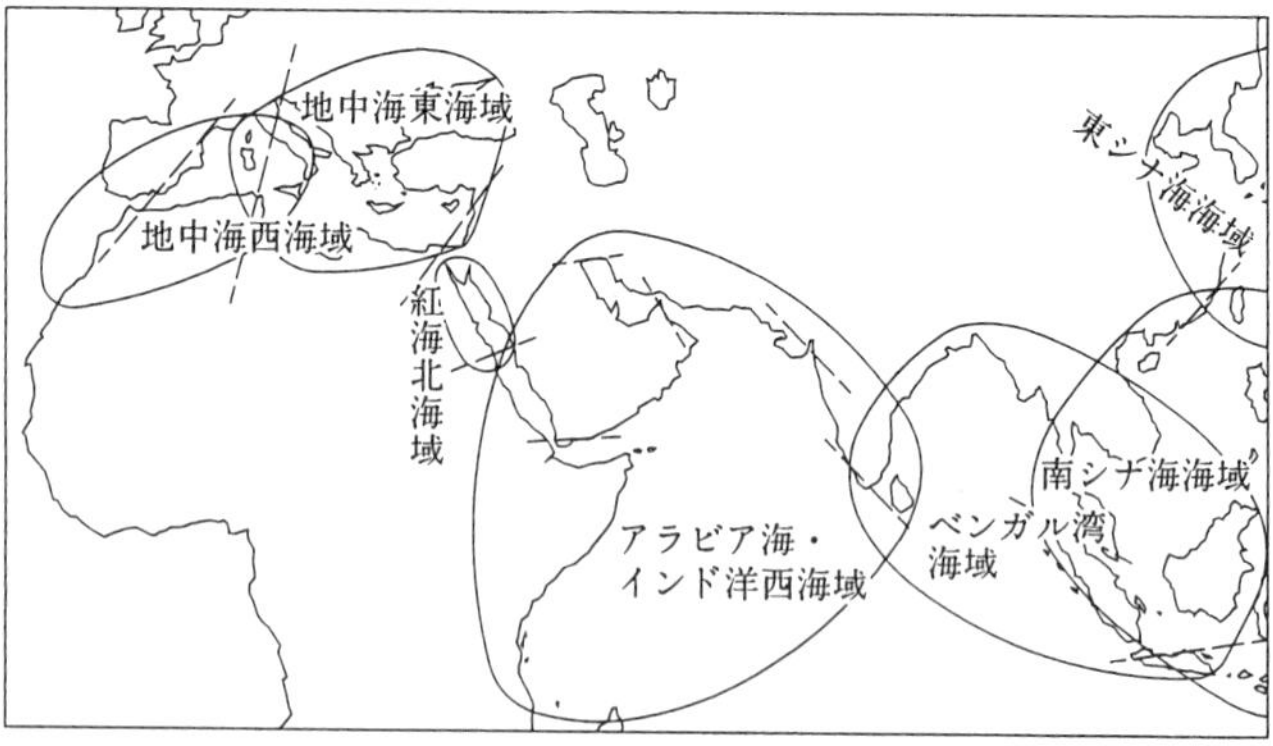

イナミックに展開していたと、捉えられるのです。つまり、「海から見た歴史」といった場合、最初に海域世界そのものの成り立ちを考え、海域社会の結びつきとか秩序を全体的に捉える必要があるのではないか、と思います。もちろん、陸とのかかわりなくして海の歴史を語ることができないことは言うまでもありません。しかし、足を陸から一度、離して考えてみる必要があるのではないか、ということです。

　地中海世界を分析、叙述する場合にも、ヨーロッパとの関係だけで地中海を見るのではなく、地中海世界そのものの成り立ち、内的な関係を考え、さらに中東という中間の陸地を介してインド洋世界というまったく異質な世界との関係、つまり外的な関係を考える必要があるのではないかと思います。地中海世界が一つの世界としてまとまりをもつのは、異質な世界、とくにインド洋世界とのかかわりによって成立するのです。海域という関係では、東シナ海からジブラルタル海峡まで、海は一つの海としてつながっていると言えます。

インド洋世界とは

さきほど申しましたように、私は、イスラム世界の形成と展開の諸過程を考えるうえで、地中海世界とインド洋世界という二つの海域世界の存在を重視し、そのなかでもインド洋世界というものが非常に重要な役割を果たしたと考えています。現在、皆様も御存知のように、インド洋とその周縁部、島嶼部には、イスラムを国教とした国々や、またムスリム（イスラム教徒）たちがマジョリティを占める社会が多く見られます。これは歴史的に見て、インド洋世界がヒト・モノ・情報の交流関係の上で古くからイスラム世界の一部として重要な役割を果たしたということを端的に物語っています。インド洋は、地中海のように周囲を陸に囲まれておらず、南は南極大陸までの広大な海が横たわる非常に大きな世界です。ですから、一般的に考えてもこの海を一つの歴史的な世界として捉えることはむずかしいように思えます。しかし、**図2**「インド洋のモンスーン航海期」で示しましたように、モンスーン（季節風）と海流、あるいは吹送流（モンスーン・カレント）を最大限に利用した定

図2　インド洋のモンスーン航海期

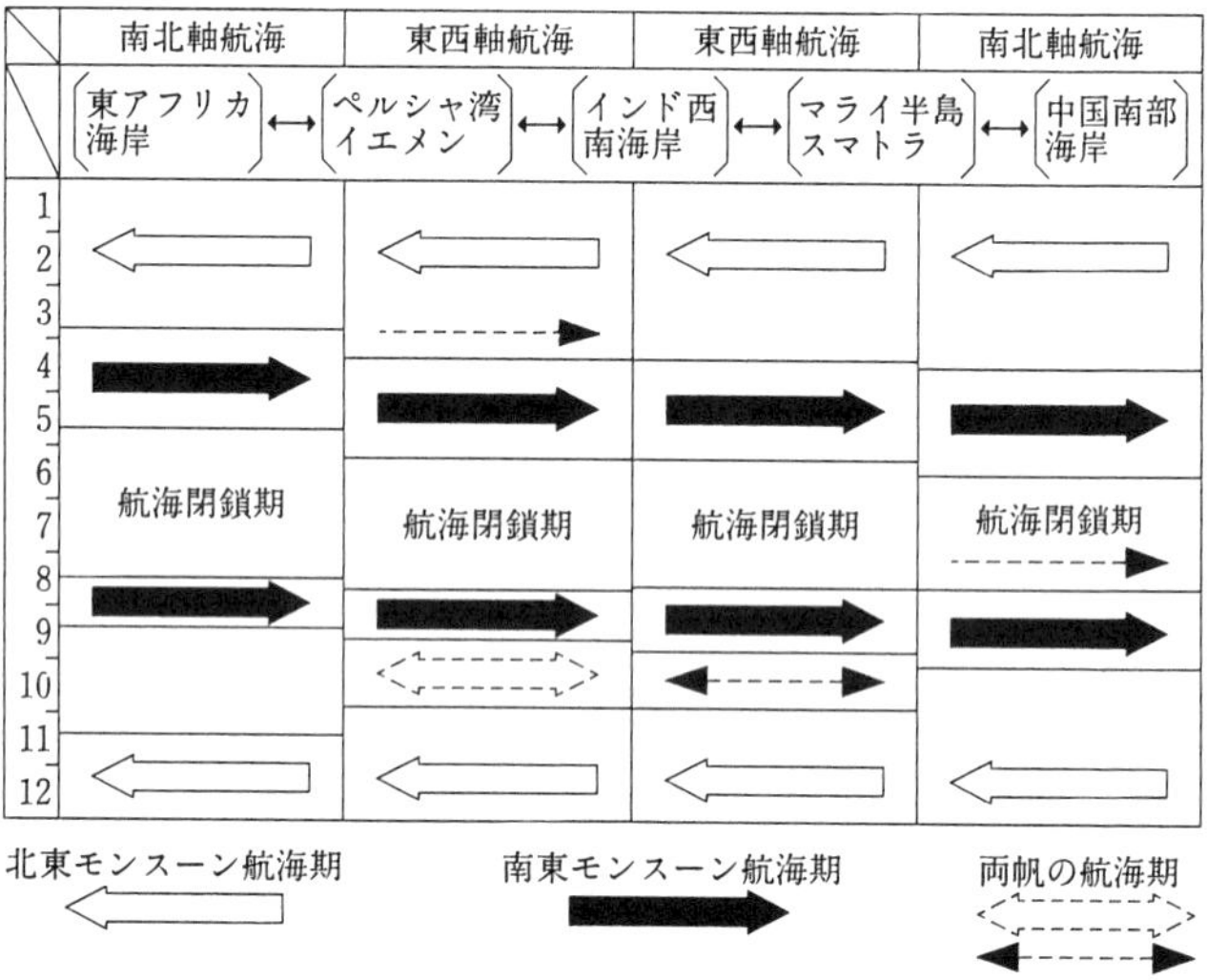

期的な航海がインド洋を舞台に古くから発達し、海域内の各地を安全・確実・迅速に結んでいました。さきほど示した**図1**に戻りますと、東から、東シナ海、南シナ海、ベンガル湾、そしてアラビア海という、一つひとつのある程度のまとまりをもった小海域が連鎖のように連なり、その海域と海域の接点に重要な港（交易港）が発達し、相互の海域間、国際間をつなぐ役割を果たしました。つまり交易港は海域世界全体の結節点、いわばネットワーク・センター、情報センターです。海域世界全体は、個々の港（交易港）の集合体であって、各々の港は交易ネットワークに

よって有機的相互関係によって結ばれています。そして一つの小海域の範囲は、だいたい二週間から三週間の航海であり、かつまた一年のうちにラウンド・トリップ、行って戻ってこれるという範囲です。さらに海域を生活の舞台とする人びとにとっての足であり、交易の道具となる船にかかわるさまざまな海の技術革命がインド洋世界で起こりました。モンスーン航海に適した三角帆や縫合型船、あるいは中国のジャンク、あるいはまた太平洋のメラネシアから西に拡大して、南赤道海流に沿って、マダガスカル島や東アフリカでも使われているアウトリガー型の船などがあります。そうした船の造船技術、帆、オールなどの艤装にかかわる技術、操船術、天測法（天文航法）、そしてさきほど説明したモンスーン航海術、そうしたものが総合的に組み合わさることで、インド洋が一つのまとまりをもって歴史的世界として形成・展開していったのではないか。また、とくに重要な点は、インド洋世界が中緯度温帯圏の、いわゆる大文明中心地で必要とされ、取引・消費される亜熱帯・熱帯産のさまざまな香辛料・薬物・染料類やその他の森林物産に代表される商品の生産地であったことです。

インド洋世界と外の世界とのかかわり

したがって、**図4**「国際交易ネットワークの形成要因」（一七四頁）では、インド洋世界

主要な交易港（数字は航海日数を示す）

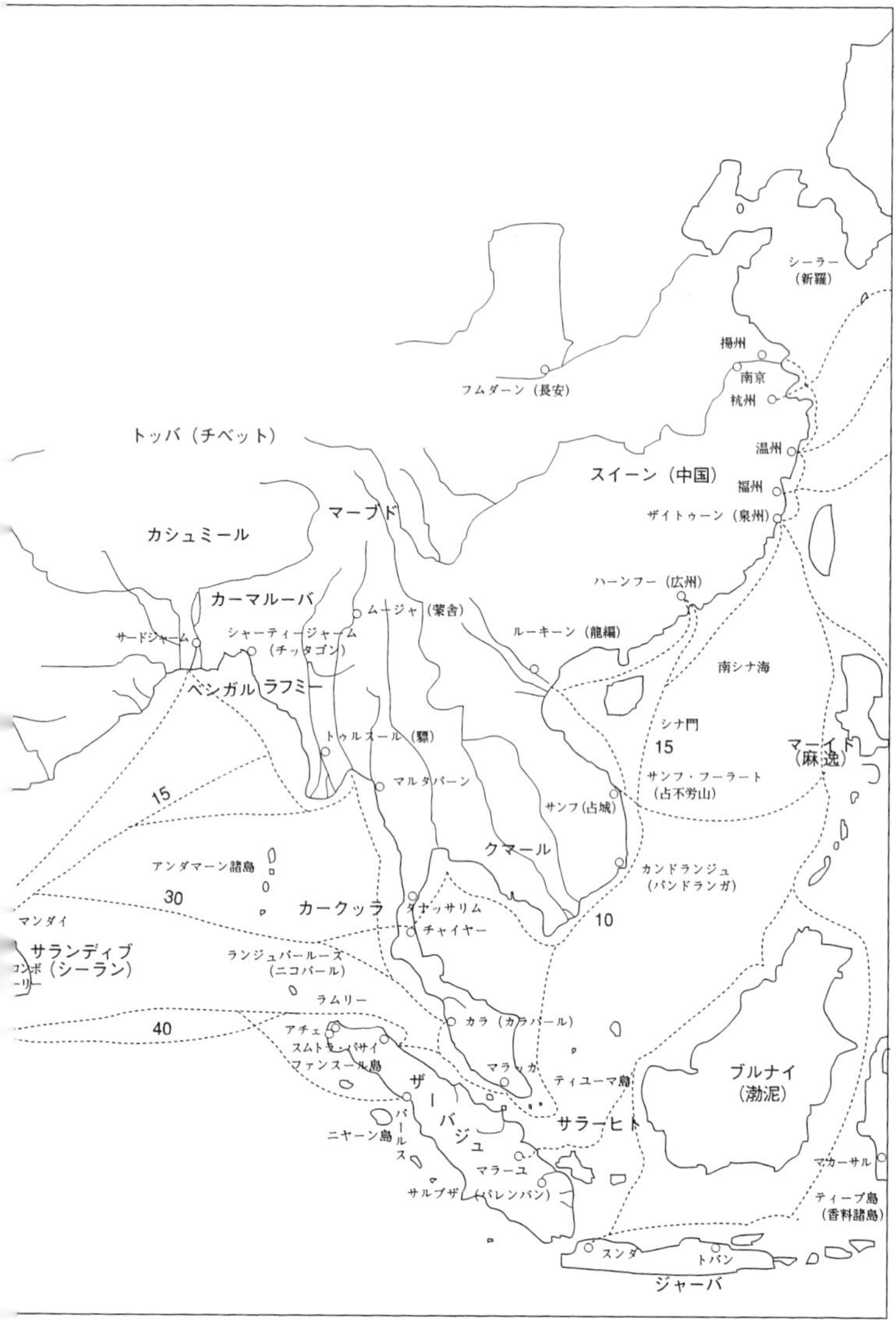

図3　8～15世紀のインド洋海上ルー

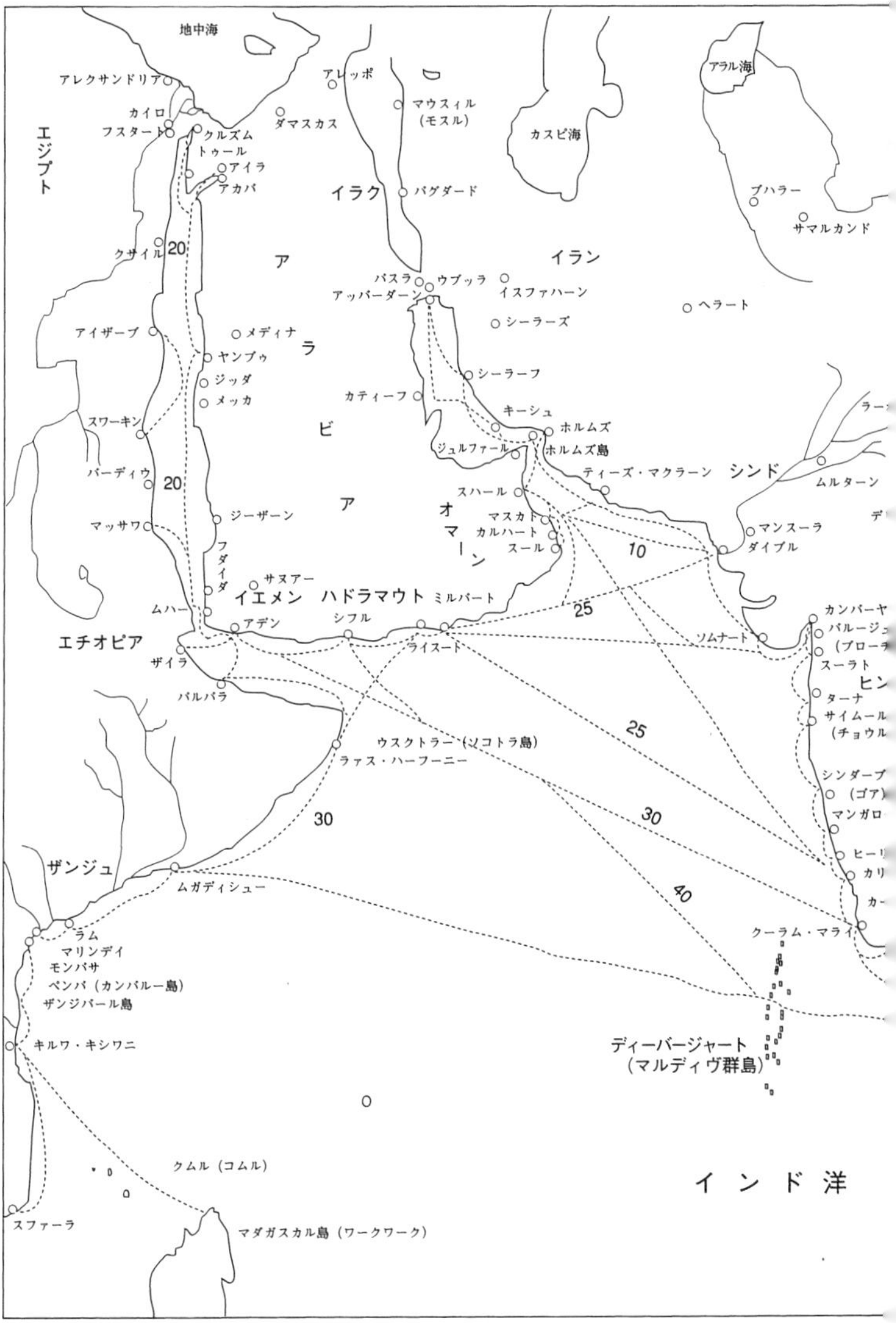

図4　国際交易ネットワークの形成要因

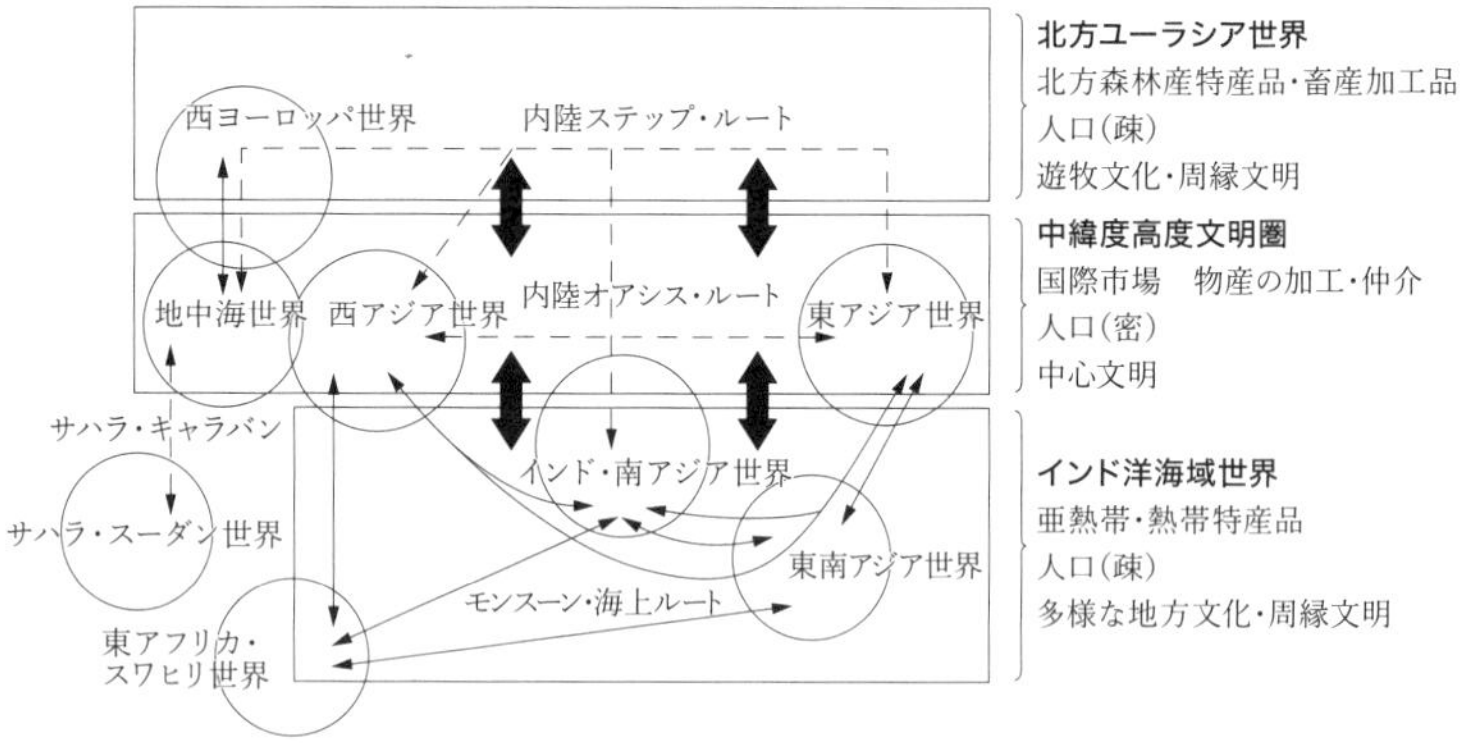

と、陸を中心とした中緯度文明圏、北方ユーラシア世界との相互関係を説明したものですが、これによっても明らかなように、インド洋という海域世界は、地中海世界、中緯度の高度文明圏との外的なかかわりと、インド洋世界の内的なかかわり、その両者の総合的なかかわりのなかで成立していたと考えることができます。

以上のように、旧大陸の歴史は、ユーラシア、アフリカという陸の世界と、南に広がる海域世界、インド洋から地中海に連なる海域ベルトの世界という二重構造、海と陸という二重構造のなかで、相互かかわり合いのなかで展開していたと捉えるべきではないかと思います。

インド洋を一つの歴史的世界として捉えようとする「インド洋研究（Indian Ocean studies）」は、一つにはブローデルによる地中海史に触発されて、とくに一九七〇年以後、研究が盛んになってきました。優れたインド洋研究としては、G・ハウラニ、K・N・チョウドリーやP・リッソなど、多くの研究があり、また東アフリカ、インド、東南アジア、中国の地域史をインド洋史の視点から分析・叙述しようとする研究も多くなってきました。

こうしたインド洋史については、このくらいでやめて、最後にもう一点だけ加えさせていただきます。

海の支配をめぐって

それは海の支配とは何かという問題であり、この点は総合討論のなかでもさらに議論を深めていただきたいと思います。海の支配とは何か。つまり、「支配」という意味は、陸上支配のあり方と、海域の支配のあり方とでは、本質的な違いがあるのではないかということです。海域、海という歴史空間。これをどのように支配するのか、何を支配するのか、また「海の平和」とか「海の秩序」とは何か、ということ。ローマ帝政時代の地中海を「われらの海」と呼び、また中世の地中海は「イスラムの海」や「アラブの海」などとも呼ばれるが、それらの海とは、どのような海かという問題であります。

中世西ヨーロッパ・キリスト教世界にとっての地中海は、自然地理的環境において、また文明においても光輝く「あこがれの世界」であると同時に、敵対する危険なイスラムの支配する世界でありました。いつ攻めて来られるかもしれない非常に不安な海でありました。そうした精神的な危機感と文明的な劣等意識、一方では暗い森の世界から明るい海の世界へのあこがれ、そうした入り雑った意識がヨーロッパをして、陸上（領域）支配と同じ構図で地中海を自分の海として支配したいという願望を生んだのではないかと考えられます。西ヨーロッパ・キリスト教世界の海上進出は、十字軍、レコンキスタ、そして「地理上の発見」と、連続して、いわば領域支配の観念を海に持ち込むことで達成されたのです。

概して、十五、十六世紀以前のアジアの領域国家は、海域に対する明確な支配意識、つまり領海意識を持っていなかったと思われます。つまり、国家、王権にとって、海はもっぱら国境、あるいは異界として位置づけられていたので、陸上の領域国家は長期継続的な軍事力を海に維持して、海を領土として支配するということをしなかったのです。一時的な海外遠征、あるいは戦艦の派遣があっても、海の継続的な支配は陸上の領域国家にとって困難なこと、割にあわないことと考えられていたのです。

港社会の性格

したがって、インド洋世界は商人あるいは旅の人間、そして国境を越えたさまざまな人びとが行き交い、まさにトメ・ピレスが十六世紀のマラッカについて語ったように、海域世界を結びつけるネットワーク・センターとしての港（港市）は多重多層社会であり、非常にコスモポリタンな世界として繁栄していたのです。そして、港は陸と論理の違った独自の一つのコスモスをつくっていたと考えられます。そうしたいくつものコスモスがネットワークで有機的に結びつけられた世界が海域世界であったと言えます。そして港は、陸の領域国家の論理と海のコスモポリタンな世界とが交わる狭間の世界であったのです。地中海は四方を陸地に囲まれた狭い海域でありますから、常に陸の権力や支配関係が強く海に作用していました。しかし、インド洋の場合は、大きな広がりをもち、しかもアジアの陸上国家は海に対する直接支配の観念が比較的薄かったこと、また多様な自然生態系がその周縁部に広がっていることなどの理由から、そこはさまざまなヒト・モノ・情報の交流し合う、また多様な人びとに共有された、自由な歴史空間として機能したのです。

ヨーロッパ勢力のアジア進出は、アジア海域におけるこうした陸の領域国家と海域との二重構造を巧みに利用し、領域支配の観念の薄い海をヨーロッパ流の支配観念のもとに支配していきました。西ヨーロッパ人による海域支配の時期は同時に、ちょうど十五、十六世紀の火薬革命の時期と一致しました。したがって、鉄砲、大砲、要塞、戦艦という、力による論理によって世界の海域支配が貫徹されていったのです。アジアの海と陸の二重構造というものが、西ヨーロッパの海上進出をゆるしたというふうにも考えられます。

最後に一言つけ加えるならば、十六、十七世紀になって、アジアの陸の領域国家は中国の清朝、インドのムガール帝国、イランのサファヴィー朝、そしてオスマン帝国のいずれもが、火薬革命の技術を、海の支配よりも、むしろ陸支配を固める手段として積極的に利用し、その結果として「鎖国」による大国をつくって海の守りを固めていく領域支配の構造が生まれたということを、指摘したいと思います。

コメント

多島海・東南アジアの観点から

石井米雄

じつは私はこのシンポジウムに一番適していない人間ではないかと思っています。と申しますのは、私は東南アジアの歴史をやっておりまして、しかも東南アジアの大陸部の歴史をやっております。ちょっと考えると、まったく海とは関係がない世界を扱っております。私はタイの歴史をずっと勉強しておりまして、率直に言って、タイの歴史がつまらなくてしょうがなかったんです。なんでこんなことをやっているんだろうと思って、全然感動のないまま二十年ぐらいが過ぎ、ある日、ブローデルの『地中海』を読みまして、目からうろこが落ちるような気がしました。それ以来、私はブローデルのおかげでタイの歴史が非常に面白くなって、その後、二十年ほど興奮のしつづけで、いまでも興奮しているわけです。その興奮の張本人であるブローデル先生の『地中海』が翻訳されたということで、私に声をかけてくださった藤原社主にたいへん感謝している次第でございます。

文部省未公認の〝アジア史〟

なぜ私が興奮し、かつ大陸部の人間である私がここへ出てきているのか、というお話が今日の私のコメントになるわけですけれども、さきほど、川勝さんが日本の歴史学というものの進歩の話をされた中で、史学を三つに分けるということにふれられました。いわゆる日本史、昔は国史と言ったわけですけれども、それと東洋史と西洋史です。文部省の科学研究費配分の分科細目というものによりますと、私は東洋史というものに分類されるわけです。アジア史と言ってほしいのですけれども、アジア史というカテゴリーは日本の文部省にはありません。日本史であるか、東洋史であるか、西洋史であるかのいずれかです。東洋史というと漢文が読めなければいけないという、つまり中国セントリックな歴史の伝統があるわけで、この三つの分野を横断的にやる歴史の見方がなかなかできないのです。私のやっておりますす東南アジアの、とりわけ大陸部などはそのどこにも入らないということで、一番具合が悪いわけです。私は、だいぶ前から大学で「東南アジア史」というゼミをもっているのですが、そこで必ず、前期はブローデルを読むことにしているのです。その時に学生諸君が、しばらくすると、「私は東南アジアの勉強をしようと思ってこのゼミに入ったんだけれども、先生、いつになったら東南アジアの話をしてくれるんですか」と言うから、「後期まで待ちなさい」と言って、毎年ごまかして、ブローデルを読んでいます。

東南アジア史へのブローデルの影響

少し余談になりましたが、アナール派、とりわけブローデルの影響、これは『地中海』の影響と言ってもいいのですけれども——東南アジア史に非常に及んでいることは、すでにピーター・バーク（Peter Burke）が『フレンチ・ヒストリカル・レボリューション（*French Historical Revolution*）』というアナール派の歴史を書いて指摘しています。これはすでに岩波書店から翻訳が出ました。ブローデルの影響は三つのレベルで出ていると思うのですが、私はその三つのうち主に三番目についてお話をしようと思います。

まず一番最初は、トータル・ヒストリーといいましょうか、全体史という考え方であります。全体史のなかで明らかにブローデルの影響を受けた本は、ここに持ってきましたアンソニー・リードという人の『エージ・オブ・コマース（*Southeast Asia in the Age of Com-*

merce 1450-1680)』という本で、これは第二巻でありますけれども、この本は一番最初に、自分はブローデルの言うトータル・ヒストリーを書こうと思う、と明言しています。ここで彼が言うトータル・ヒストリーというものは、戦争とか、王朝の交代とか、あるいは外国貿易などについての記述と、一般の民衆の食べ物とか、健康とか、あるいは娯楽などについての記述が同じ程度の重要性をもつ、そういう歴史を書きたいんだという彼の言葉に表現されています。第一巻のほうでは、ブローデルの時間でいうと、長期持続《ロング・デュレ》が扱われ、これはさきほど、鈴木さんのお話にあった、一番動かない時間ということですが、この次のゆるやかに動くコンジョンクチュール、それもテーマとして扱われています。もう一冊は、フランス人のドゥニ・ロンバール（Denys Lombard）という人の『ジャワの四つ辻（*Le carrefour javanais : Essai d'histoire globale*）』という本です。これは千ページにわたる非常に大きな本ですけれども、この場合には、トータル・ヒストリーという言葉を使わないで、イストワール・グローバル（グローバル・ヒストリー）という言葉を使っています。いずれにしましても、全体史というものを東南アジア史について書こうという試みが、少なくとも私の知るかぎり二冊出ているわけです。

ブローデルの東南アジア史への二つ目の影響は、さきほど、家島さんがおっしゃいましたネットワーク論です。私はここへ来るときに、家島さんと浜下さんという、東のほうから攻めておられる方と西のほうから攻めておられる方がおられるので、ネットワーク論をやったら絶対かなわない、はじめから無条件降伏をしたほうがよさそうだということで、今日はネットワーク論は一切議論しないことにします。しかし、いま家島さんがおっしゃったように、西のほうからのネットワークの研究というのはずいぶん進んでいるわけですし、それから東のほうは東シナ海、南シナ海からさらに西に進むという形の海の役割については、浜下さんが精力的なお仕事をされています。

ポート・ポリティー

私はその全体史、あるいはネットワーク論ということ以外に、もう一つ、三つ目のブローデルの大きな影響があるということを、今日お話ししたいと思います。それはさきほどお話ししましたように、私のタイ史の見方を一八〇度変えさせてくれた見方であります。ネットワークの一つの結節点としてのポート（港）を港市《こうし》と言いますけれども、港市と政治とのかかわり合いということで、「港市政体論」とか、「港市国家論」と呼ばれている「ポート・ポリティー（港市政体）（port polity）」という見方であります。「ポート・ポリティー」という言葉は、かなり前から言われているわけですけれども、シンガポールの歴史学者である、カティリタンビ・ウェルズ（J. Kathirithamby-Wells）という人と、イギリス人のジョン・ビリヤース（John Villiers）という人が編纂しました『東南アジアにおけるポート・ポリティー（*The Southeast Asian Port and Polity*）』という本が九〇年に出ております。この本が一つの先駆的な仕事です。つまり、交易というものは、いままで、国の大きな動きというもの、あるいは成り立ちというものとは、関係はあるけれども、その関係を中心的なものとはあまり考えてこなかったわけです。とりわけ、私がやっておりますタイなどというのは、基本的には農業国家というふうに捉えられておりまして、さきほどの川勝さんのお話にもありましたように、タイ史はすぐれて陸地史観だったわけです。したがって、そこでは奴隷制の問題であるとか、不自由労働制の問題、あるいは土地所有の問題などということが歴史学者の中心的な関心を占めていたわけです。

内陸の港――アユタヤ

それを私はずっと考えていて、それではタイ史はつまらないという話をしていたんですけれども、アユタヤという、いまのバンコクより約一〇〇キロほど北へ上がったところにある川の港、ここの性格を、一つの港であるとして、これがじつはネットワークの重要な結節点であるということを悟らせてくれたのがブローデルの『地中海』だったわけです。私の参考資料の二つの地図を見ていただきたいと思います。図5の地図は、地中海から東

図5

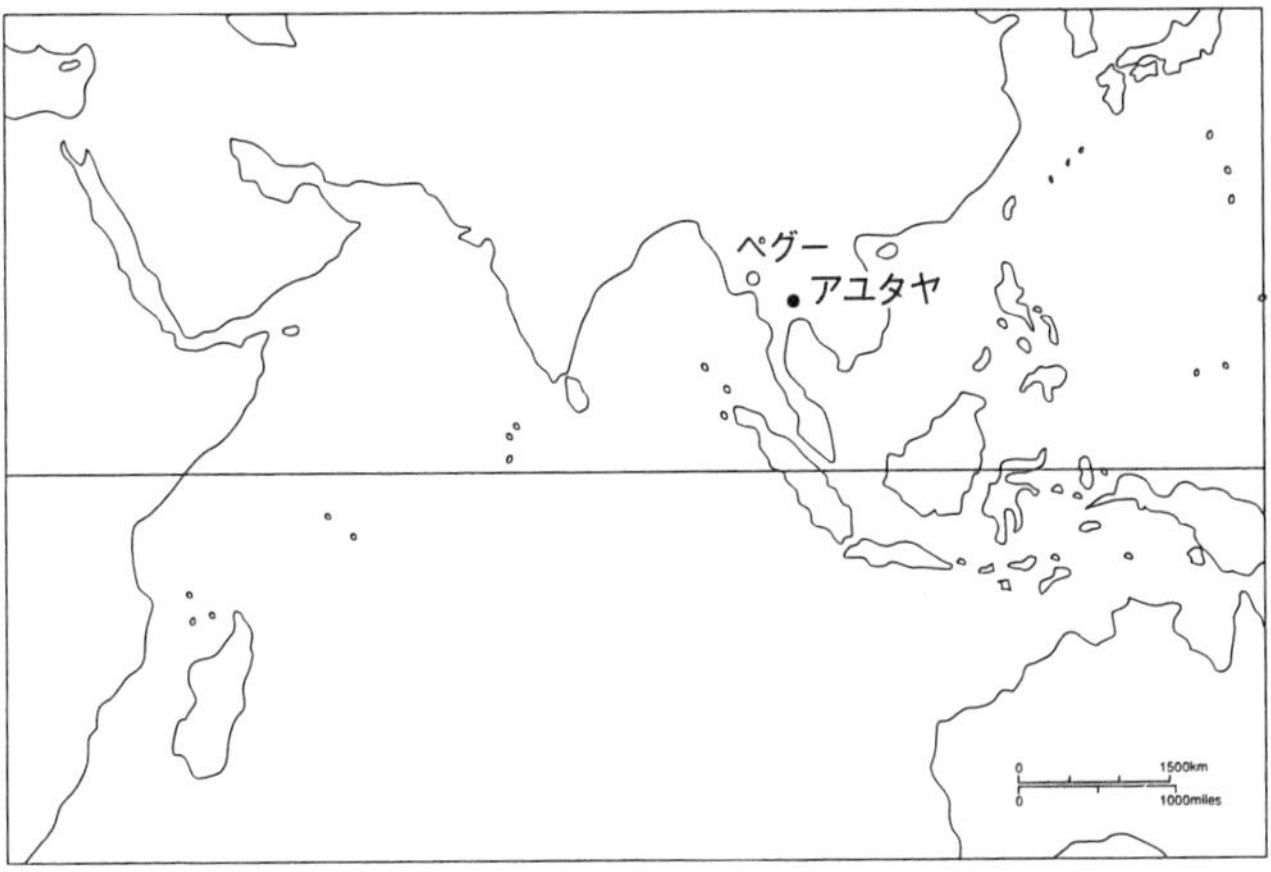

シナ海までを含むもので、その真ん中よりやや右寄りにアユタヤと書いてあります。タイのこれがタイの元の首都であります。タイの首都、ここが重要だという話を、私は十数年前にある学会で発表しまして、これが港なんだということを言ったときに、一〇〇キロも内陸に入ったところに港があって、それが海洋交易に重要な役割をするわけはないというお叱りを受けたことがあるんですけれども、事程左様に、やはりアユタヤ、つまりタイという国家は非常に内陸的な国家だという固定観念がどうもあったように思います。

ところが、アユタヤというのは、一八一九年にシンガポールができるしばらく前まで、少なくとも十八世紀の終わり頃までは、

図6

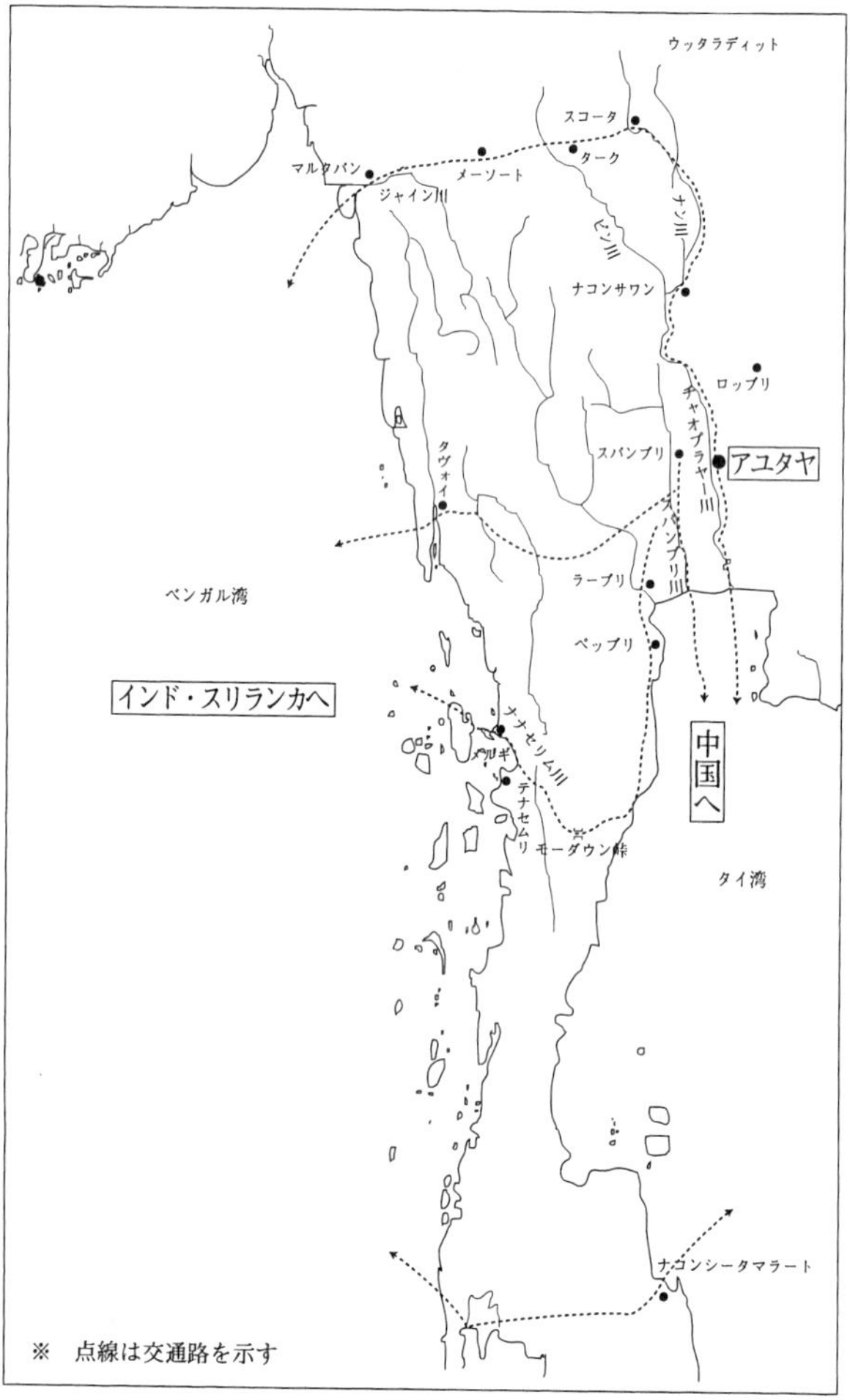
ウッタラディット
スコータ
ターク
マルタバン
メーソート
ジャイン川
ナン川
ピン川
ナコンサワン
ロッブリ
チャオプラヤー川
スパンブリ
アユタヤ
タヴォイ
スパンブリ川
ラーブリ
ベンガル湾
ペッブリ
インド・スリランカへ
中国へ
タナセリム川
メルギ
テナセリム
モーダウン峠
タイ湾
ナコンシータマラート
※　点線は交通路を示す

東西交易のなかで非常に重要な役割を果たしてきたところであります。それを少し細かく見てみます。常識的に考えられるのは、西のほうから来ますと、マラッカ海峡を通って、そしていまのマラッカからシンガポールを抜けて、北へ上がっていくというコースです。このコースが普通でありますけれども、じつはさまざまな歴史史料を調べてみますと、このコースではないコースのほうがもっとポピュラーだったわけです。それはいまの私の資料の**図6**にありまして、これはベンガル湾から東へ来た人たちが、マレー半島というのは非常に幅の狭い半島でありますので、これを横断して、そして台湾を抜けて、南シナ海を抜けるというコースです。これは非常に古くからあるわけで、『漢書』ぐらいの時代からこのコースはあったわけです。マラッカ海峡というのは、風が変わるところでありまして、非常に帆船が動きにくいわけです。ノソノソと宝物を積んでいる船は海賊が狙いやすいわけですから、その難を避けるためにも、マレー半島の横断路というのがかなり昔から発達していたわけです。その横断路の支配というものが、交易の支配ということに関係してくるわけです。さきほど、家島さんが「海を支配するとは何だろうか」とおっしゃられましたが、これは大事な問題で、あとの総合討論のときに出てくると思うのですけれども、その支配ということにおいては、一つには航路の安全を確保するということが非常に重要な問題です。たとえば、海賊をいかにして制止するかといったような問題が重要なのですけれども、そういう意味で、若干、時間がかかっても、荷物の積替えの手間がかかったとしても、マラッカ海峡を通るよりはマレー半島を横断したほうがいい、と。ここを行けば、必ず南シナ海に荷物が運べるという予見可能な状況をつくりだすということが、交易の発展に非常に重要なわけです。それにアユタヤという権力が非常に重要な役割を果たしたわけです。したがって、一〇〇キロも、具体的に言うと、ここへ着くまでに河口から九日間かかって来るのですけれども、にもかかわらず、ここが港市として繁栄することになるわけです。

政治と交易の同軸性

時間がなくなりましたのではしょりますけれども、ビルマの南にペグーというところがありまして（図5）、ここにモン族のかなり強い国があったのですが、このペグーとアユタヤというのが海上の覇権をめぐって十六世紀から十七世紀にかけて争うわけです。最終的には覇権にかんするかぎりは、私はアユタヤが勝利を占めると思うのです。たくさん理由がありますが、一つの理由は、アユタヤというのは、いま言ったように、ベンガル湾を経由してインド洋から、さらにヨーロッパにまでつながるような、この地図でいえば左のほうに一本の腕を持っているし、同時に、シャム湾から南シナ海を通じて東に行くという、二本の腕を持っている。それに対してペグーは、左のほうの腕は持っているけれども、右のほうの腕は持っていない。その意味において、やはり交易量等を考えると、アユタヤのほうがはるかに有利な地位にあった。それ故アユタヤは東南アジアの大陸部でかなりの強国として生きながらえることができた。

陸の視点から見て、アユタヤが有利な点が一つあります。それは、後背地に大きな稲作地帯をかかえているということです。港市国家の中核は交易の中心ということですから、自前の産物がたとえ少なくても、多様な物資の交換がそこでできさえすれば機能を十分に果たせるわけですが、しかしもし港市が独自な産物を自前で調達する能力を持っていたとすれば、そこを訪れる魅力はさらに増大することになります。その点アユタヤは大量の余剰米を供給する能力を持っていたという点で——この点ではペグーも同じでしたが——有利な条件を備えていたということができます。アユタヤの米は、食料が不足ぎみであったマレー半島や島嶼部の国々に輸出されました。港市アユタヤに君臨したタイ国王は、米をはじめとするタイの生産物を租税として徴収しただけでなく、すべての交易品の調達から販売までのあらゆる過程を統制し、これを権力の基盤としたのです。カティリタンビ・ウエルズの、港市国家の定義をいうならば、政治と交易というものがコンセントリシティー(concentricity)を有しているものということになります。つまり彼女は同軸性という言葉を使うんですけれども、ポートとポリティーのコンセントリシティーということが、アユタヤが発展した理由である、というコンセプトを出しています。これもまた、従来は陸地史観にとらわれていた東南アジアの歴史、とりわけ大陸の歴史というものが、海というものに位置づけることによってまったく違ったアスペクトが見えてくるという意味で、私はたいへんブローデルに感謝しているわけです。

またあとで総合討論のときに、いろいろ補足させていただきたいと思います。ありがとうございました。

第Ⅲ部 総合討論

総合コメント

環シナ海域の観点から

浜下武志

海域と地域

Ⅰ部、Ⅱ部を通して、それぞれ御専門の皆様方のたいへん興味のあるお話に聞きほれておりましたので、総合として何か問題をまとめて討論することは、とてもむずかしいと感じております。

ただ、お話を伺いながら、なぜ私は東シナ海をこよなく愛していないのだろうかということを考えておりました(笑)。たとえば、海の呼び方一つをとってみましても、いくつかの国が東シナ海をどう呼んでいるかを見てみますと、中国は東シナ海を「東海」と呼んでおりますし、南シナ海に対しては「南海」と呼んでいます。それはあたかも自分の歴史的な庭であるかの感があります。また、シナという表現自体につきましても、他称・自称また民族や国家さらには地域的範囲をめぐって歴史的にさまざまな問題があります。それから現在の東アジア、あるいは東南アジアの情勢を考えてみましても、台湾の問題ですとか、あるいは南北朝鮮の問題ですとか、あるいはシベリア・ロシアの問題ですとか、あるいはASEANと中国の問題ですとか、南沙群島をめぐるASEANと中国の関係など、ある意味では、明るい歴史ではなく、海をとりまく国家間にはむしろさまざまなトラブルの歴史といいますか、あるいは今後も非常に困難が予想される歴史が存在していることがわかります。

この状況のなかで、私は、海という視点を一層積極的に考えることによって、もう一度、この地域の歴史を新しい角度から対象化できないだろうか、もしそれができるとすれば、いま申しました、さまざまな課題に対して、今後、新たな角度から討論していくきっかけをつくることができるのではないだろうかと感じております。

私は東アジア地域を中国を中心として勉強しておりますけれども、ブローデルあるいはフランスの学界の研究蓄積との関係で申しますと、さきほど、二宮さんはフランスは六角形のなかに入って議論しており、外へ出ることはなかなかむずかしいとおっしゃいましたけれども、私は、フランスにおける海の研究の成果、これはインド洋まで含めてですけれども、海の研究の独自の特徴にとても興味をもっております。(1)

海と地政学

それからもう一つ、フランスではジオ－ポリティックス（地政学）についての研究が多く、私としてはたいへん関心のあるところです。(2) ブローデルもおそらく、そういうフランスの学術的な背景、あるいは議論の背景をふまえて、地中海という一つの地域を地政的にも描き出そうとしたと思いますけれども、その点から私が受けとめたいと思いますことは、やはり地域研究の方法としての地政学的なアプローチという問題であります。もちろん、生態学的な、あるいは地理的な把握で地域を考えることは、現在、これまでのいわゆるグランド・セオリーが動揺しているなかで、ブローデルを読む一つの目的としてあると思います。そしてまた、彼がグランド・セオリーへの一つの挑戦を行なっていることはまちがいないと思いますけれども、その問題と同時に、ブローデルが地中海を対象として試みたさまざまな問題群は、海という媒介項を通して、ある意味では、世界的に共通な課題があるのだということを考えさせるものとして捉えることができるだろうと思います。(3) その意味で、海という問題を陸との対比において——これは川勝さんが非常に強く御指摘になったことですけれども——あるいは島と半島そして大陸という関係において、あるいはネットワークという視点において、あるいは海へ政治がどう進出してきたのかという視点から、それぞれの課題にどのように取り組んでいくのかという方法上の問題も含めて、多くの課題が出されたと思います。

南海伝説・海の守護神

私がいまブローデルの議論からもう一歩敷衍して導き出したいと思っておりますことは、それぞれの社会が海に対して持っている認識の背景を比較研究の対象としてとり上げることです。たとえば、いろいろな場所に「南海伝説」というものがあります。つまり、南の海に対する一つの希望とか憧れとか、あるいはそこに向けて延びていこうとする北からの考え方です。あるいは海を陸に見立てて捉える考え方、あるいは海を社会に見立てて考える、海を自分の側により引きつける考え方です。たとえば中国では「人海戦術」、人の海という形で海を社会に見立てている。あるいは現在、在野であるいは経済の分野で、具体的にはビジネスに乗り出すことを下海《シャーハイ》といっていますけれども、このような形で海を陸に引きつけて、あるいは海を社会に見立てて位置づける。これはやはり海に対する可能性や豊饒さ、豊かさに対する憧れが背景にあったからであると思います。

そしてまた世界的に、海と自然との関係では、海の守り神について考えることができます。古代ギリシャの時代から、どの地域にも海の守り神がありました。いま東アジア、東南アジア地域で、中国沿海の歴史に照らして見てみますと、媽祖《マソ》という海の守り神がありました。この媽祖神を信仰する海域としての媽祖圏を考えてみますと、さきほど、家島さんがおっしゃった、海がどのように支配されてくるのかということについて、文化的な根拠を考える手掛かりもあるかと思います。たとえば、媽祖は民間の海の神であったわけですけれども、それが広範な海に広がっておりましたから、それを利用するために皇帝は媽祖に爵位を与えます。そして天妃とか天后という形で、言わば妃の位に上げるわけです。それを通して、政治力が海に広がります。媽祖圏を通して海を統治しようとする。こうして政治権力が積極的に海の祭りを主宰し、行政あるいは政治が海に介入していくことになりました。

このことはおそらく、政治権力あるいは軍事権力が一般的に海を支配するのではなく、地方的な文化的な背景をもとにして、それを政治化することによって介入するわけです。したがって、空間的に見ますと、海一般ではなくて、たとえば沿海という地域に特徴づけられる、海と陸地が重なる部分といいますか、さきほどの石井さんのお話のなかでのポート・ポリティーの影響力が行使される範囲が海を支配する拠点になっていると考えられます。

海域の連鎖と交易ネットワーク

さらに、海をめぐって、海を跨いでつくり上げられる交易のネットワークについて考えてみたいと思います。まず、お手元の海域地図を見ていただきたいと思います。

図7は、海域あるいは海域圏と表現しましたけれども、世界地図の各大陸の沿岸部を頭に浮かべていただいたときに、東アジアから東南アジアにかけての地域、あるいはさらにオーストラリア、オセアニアにかけての地域は、大洋（ocean）ではない、あるいは湾（gulf）とか海峡（channel）ではない、海（sea）という規模の海域が北から南につながっていることがわかります。北から見ると、ベーリング海、オホーツク海、日本海――この日本海とわれわれの言う海のことを韓国の学者は東海と呼びますけれども――そして黄海、東シナ海、南シナ海へ、この南シナ海は、その内部にさらにスールー海や、ジャワ海があります。そしてそれがさらにオーストラリア大陸に沿って、アラフラ海、コラル海、そしてタスマン海へ、海の連鎖が見られるわけです。他方では、南シナ海がさらにベンガル湾に連続していくわけですけれども、このように大陸部と半島部、島嶼部が海を抱え込むよ

図7　アジアの海域圏

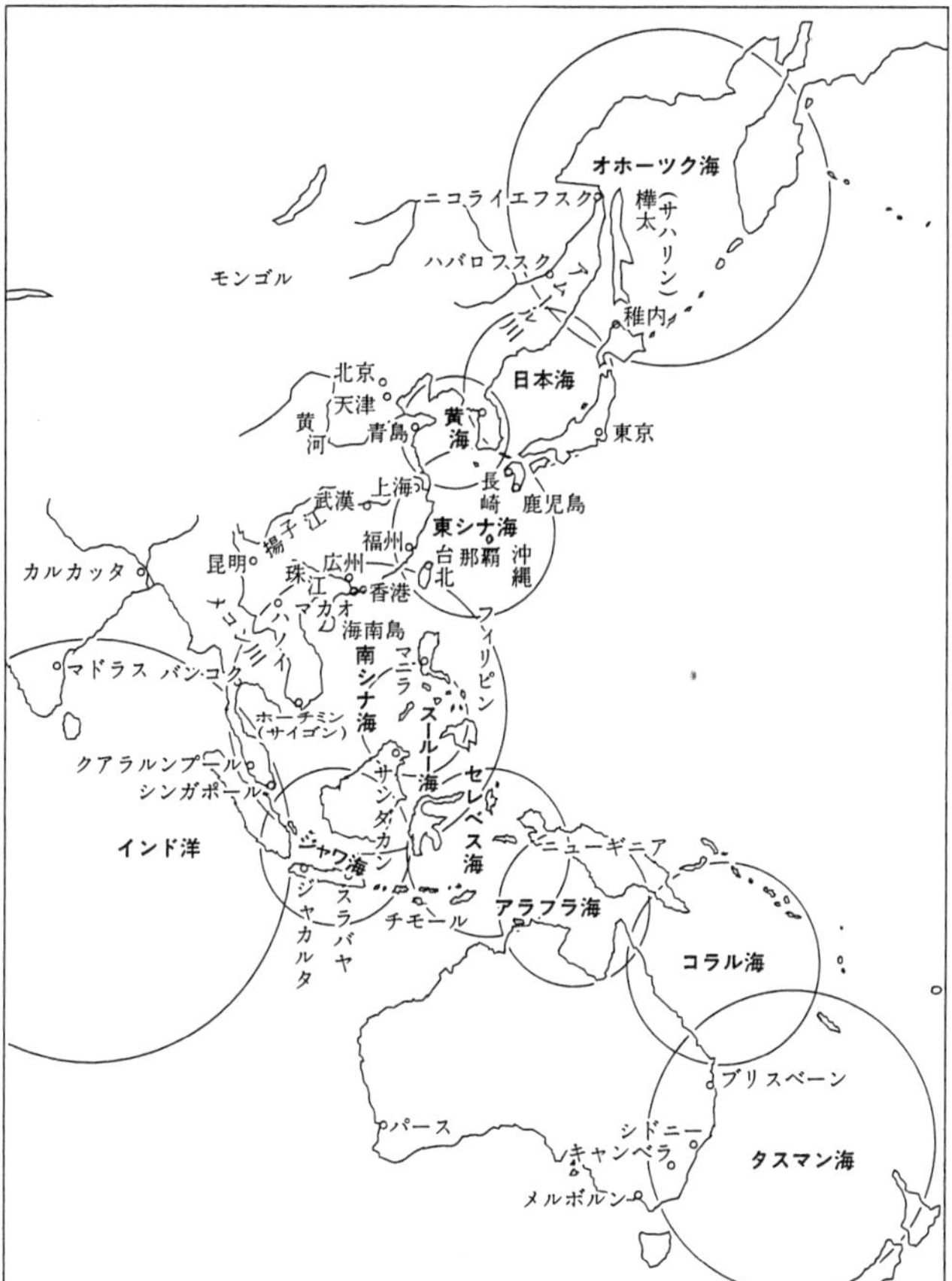

オホーツク海
ニコライエフスク
樺太（サハリン）
ハバロフスク
アムール川
モンゴル
稚内
日本海
北京
天津
黄河
青島
黄海
東京
長崎
鹿児島
上海
武漢
揚子江
東シナ海
福州
台北
那覇
沖縄
カルカッタ
昆明
広州
珠江
香港
マカオ
メコン川
ハノイ
海南島
フィリピン
マドラス
バンコク
南シナ海
マニラ
ホーチミン（サイゴン）
スールー海
クアラルンプール
シンガポール
サンダカン
セレベス海
インド洋
ジャワ海
ニューギニア
ジャカルタ
スラバヤ
チモール
アラフラ海
コラル海
ブリスベーン
パース
シドニー
キャンベラ
タスマン海
メルボルン

うに、あるいは逆に言いますと、海を跨って大陸と半島部、島嶼部が構成されているこのユーラシア大陸の東側の海域に類似したところは、――南北アメリカ大陸、あるいはインド亜大陸、あるいはアフリカ大陸などでは、比較的直線型の海岸線を構成していますので――おそらく他には地中海、あるいは北海の一部の歴史的にハンザ同盟が結ばれた海域などに限られるように思います。

ここから見ますと、アジアの海は、大陸部と半島部、島嶼部が互いに強い影響を与え合うに十分な近さをもっていますけれども、しかし同一化するほどには近くはないという距離を保ってきた。そして海をめぐって形づくられる港は、国で分けられるのではなく、むしろ港市相互間が多角的に関係づけられる。これは東アジアへ到着するまでに、海洋文化を異にした多くの港を経由してきたヨーロッパとの関係でも、十九世紀半ば以降の東シナ海の周辺に展開した開港場の時代でもそうであります。たとえば、明治期に仁川から大阪や長崎に米が送られますと、上海から仁川に米が送られるという形で、二国間ではなくて、開港場に跨って清国商人が活躍し、港市相互が海に向ってつながっていくことがわかります。このつながりは、さきほどの「沿海」という海のカテゴリーに対して、「環海」というカテゴリーで考えることができると思います。それからさらに、私は、海域相互がつながる「連海」ということを考えるわけですけれども、たとえば東シナ海と南シナ海のつながりを考えてみますと、一方では広州、香港、マカオが、海と海の連鎖の結び目になっています。歴史的には広州が果たしていた役割を後に香港が肩代わりするわけですが。そして他の一方のベンガル湾とのつながりを見ますと、歴史的にマラッカが果たしていた役割をシンガポールが肩代わりしながら、海と海を結びつけていた「連海」という形です。

いま申しました、「沿海」、「環海」、「連海」という問題は、これまで「海のシルクロード」とか「海の道」という形で、点と線で海を考えてきたことに対して、むしろ面として海を考えることが重要であると思っているところから導かれたものです。このことは、当然、ヨーロッパとアジアとの関係においてきましても、さきほど、イスラムに関するお話にもありましたように、イスラムの文化圏、インドの文化圏を通ってヨーロッパが東アジアに到達するという形で見ることができます。それからまた、東アジア、東南アジアという呼び方について言えば、たとえば、東アジアは中国、朝鮮、ベトナム、日本の四国で構成されるという形で、陸と国家を組み合わせて言われますけれども、むしろ東シナ海をめぐって形づくられている地域を東アジアとして考えたほうがよいと思います。また東南アジアと呼ぶ場合にも、やはり南シナ海をめぐって形づくられる海域地域であると考えられると思います。したがいまして、海という視点を入れますと、地理的な問題と同時に、そこにおける交易あるいは移民、あるいは中国をめぐって行なわれた朝貢貿易などを地政的な視野の下で見通すことができます。

周縁研究と海

琉球王朝が中国の明・清王朝と行なった朝貢貿易について、『歴代宝案』という五百年にわたるたいへん克明な文書記録があります。加えてこの十年間、対馬の『宗家文書』、あるいは薩摩の『島津家文書』などの研究が大きく進みました。その結果、これまで陸の日本の周辺として捉えられてきた地域が、いわゆる海の周縁地域として捉え直されたわけです。逆に、海から見ますと、文化と文化が交叉する場所におけるネットワークの重要性が指摘されてきたわけです。今後、これらの研究も海の視点からより積極的に促進することができるであろうと思います。

それからさらに、海をある意味では一つの社会として分析できるかという課題もあろうかと思います。そのために、海から陸に上った歴史的な組織について関心を強める必要があります。人間自体も、もちろん海から陸に上ったわけですけれども、もっと近い時代で、株式会社組織にいたる会社組織が、やはり海における大規模な交易をどのように組織し、それを経営・管理するかというところから起こってきていると考えられます。そしてまた、それに向けての共同出資やあるいは保険によるリスク回避など、海という条件から人間の経済活動が特徴づけられ、それが生み出した組織形態が陸に上って、いっそう強い組織体として純化されることにより、後に会社組織として結実するわけです。ヨーロッパの東インド会社や長崎の投げ銀商人*などの行動形態に具体的な例を見ることができます。

＊　朱印船貿易時代から、一般の資金貸借以外に、海外貿易の利益を予測して船主に共同で資本を貸付けた商人たち。また海上保険の意味を含む。抛銀《なげがね》商人。

このように海という生活・社会空間における営みが、どういう形で陸に上っていくのか、あるいは陸に影響を与えていくのかということは、もちろん、スペインの王権にどのような影響を地中海が与えたかということと同様な対比ができようかと思いますけれども、この問題のなかで、海を平面的な広がりというだけではなくて、社会空間的な一つの構造物として考えることが求められていると思います。

ネットワーク論の諸相

それから図8、図9について簡単に申し上げたいと思います。**図8**はネットワークの問題です。石井さん、家島さんは、ネットワークについてのお話をなさったわけですけれども、東アジアで考えますと、歴史的にどのような形で交易ネットワークがつくられてきたのかということが、現在さまざまに論ぜられております。東アジアの現在の状況から考え

図8　東アジア地域をめぐる交易ネットワーク（17〜19世紀前半）

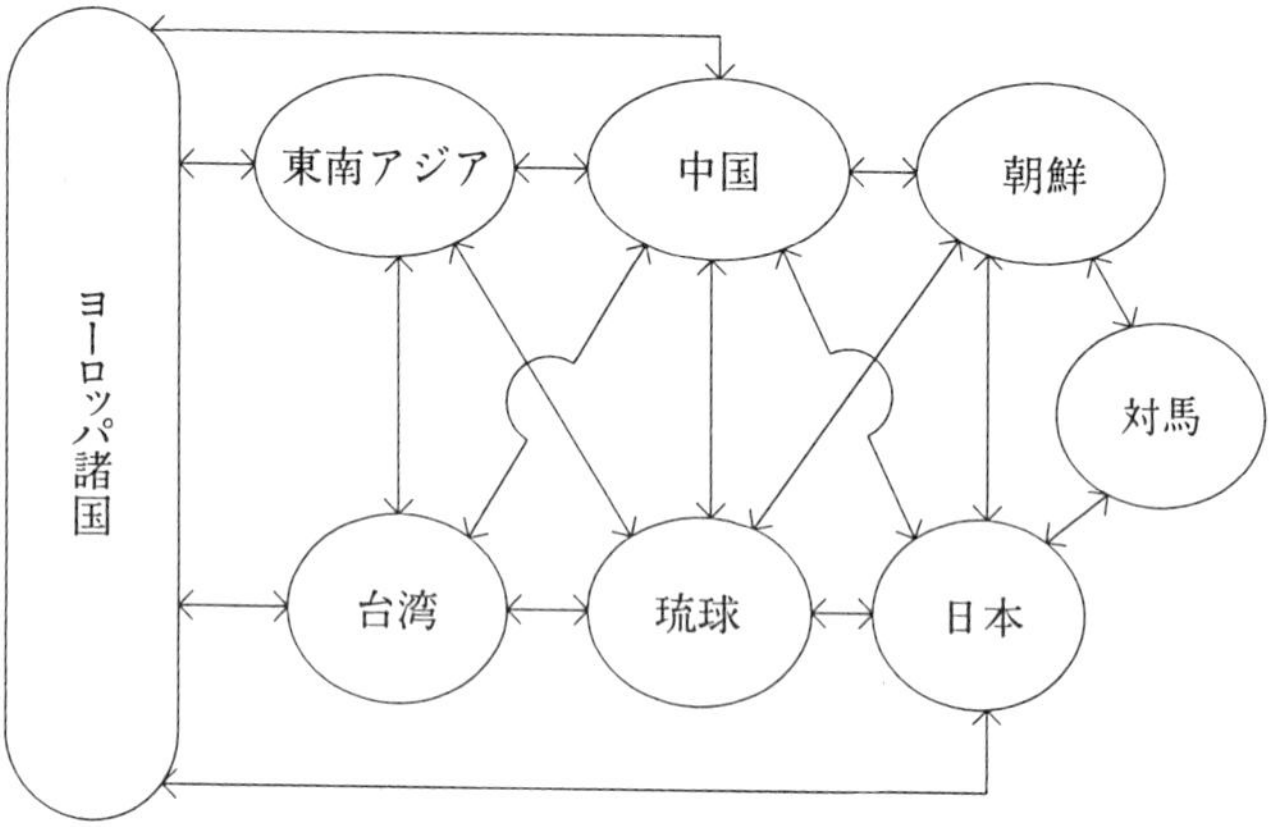

ますと、ネットワーク論は、一九七〇年代、中国がまだいわゆる改革・開放を実施していない時期に議論されはじめ、それが歴史研究のテーマへと遡ったと言えます。中国の周辺をつなぐネットワークのあり方を知ることは、華人社会の宗族のネットワークがどのようにビジネスのネットワークと重なるか、あるいは経営組織のネットワークが宗族のネットワークとどのようにつながっているかなどを知ることによってなされてきました。その後、中国がいわゆる改革・開放で大きく変化をしている現在、ネットワーク論の理論的な問題点も、また改めて出されてきたように思います。たとえば、ネットワークのもっているつながりとしての強さだけではなく、弱さの面、あるいは

融通性を持つ面をどのように考えたらよいか。あるいは、ネットワークがさまざまな形で組み替えが行なわれ、つくり替えられるという問題をどう考えたらよいかという形で、一方ではマーケットとの関係において、そして同時に他方では、より構造化された組織との関係において、その中間で機能してきたネットワークとしての理論的な問題も出されてきました。このことは歴史研究に対して、変化する現在がやはりさまざまな問題を投げかけているということにも関係いたします。

東アジア地域モデル

そしてこのテーマは最終的には「海」という問題がどのような方法的視点を提起するかということにもつながると思います。たとえば、さきほど二宮さんが歴史人類学のお話をなさいました。この間、東アジア歴史研究は人類学、社会学の成果からたいへん多くのものを学んできたわけですけれども、しかし人類学、社会学が蓄積してきた膨大なケーススタディを基礎として、もう一段より大きなフレームワーク、あるいはより長期的な見通しのなかで地域研究を行なう問題を提起できるか、あるいは歴史研究はそれをどう受けとめるかという課題が出されていると思います。これは鈴木さんがおっしゃった、ブローデルの役割に対するコメントとたいへん共通する問題であると思います。

続いて、歴史研究におけるアジア研究の新しい課題は何かという点を考えたいと思います。これまでは、おそらくヨーロッパのさまざまなモデルを研究することを通して、非ヨーロッパ世界の課題を問題にしてきたと思います。しかしこれからは、おそらく、地域研究において、対象地域が持つ独自の論理というものが成り立つかどうかという課題を吟味することが、歴史研究に問われていると思いますし、その観点からまたアジア研究も再検討されなければならないと思います。

図9を御覧下さい。これは東アジアを中心とした、地域的な、さきほど申しました、ジオ－ポリティカル（地政学的）な地域配置と、それに文化的な統治、あるいは政治的な統治を重ね合わせてみようと試みた図です。この同心円的な考え方については議論もあると思いますけれども、この考えは、言わば国ごとに配列するよりも、むしろユーラシア大陸の東にある大陸部が華夷秩序という編成原理を持ち、そこでは中央から周縁に行くにしたがって、しだいにゆるやかな統治関係を示していく、そして朝貢関係という、東アジア、東南アジアにひろがるつながり方を持っていることを表現しようとするものです。こうして見ると、川勝さんのおっしゃった日本の三つの波は、これを中国あるいは大陸部の側から見ますと、大陸側の言わば閉じるとき、開くときという一つの地域のダイナミズムの展開に対応しているものと位置づけることができるわけです。したがって、東アジア地域の

図9　中国と周縁関係（清代を中心として）

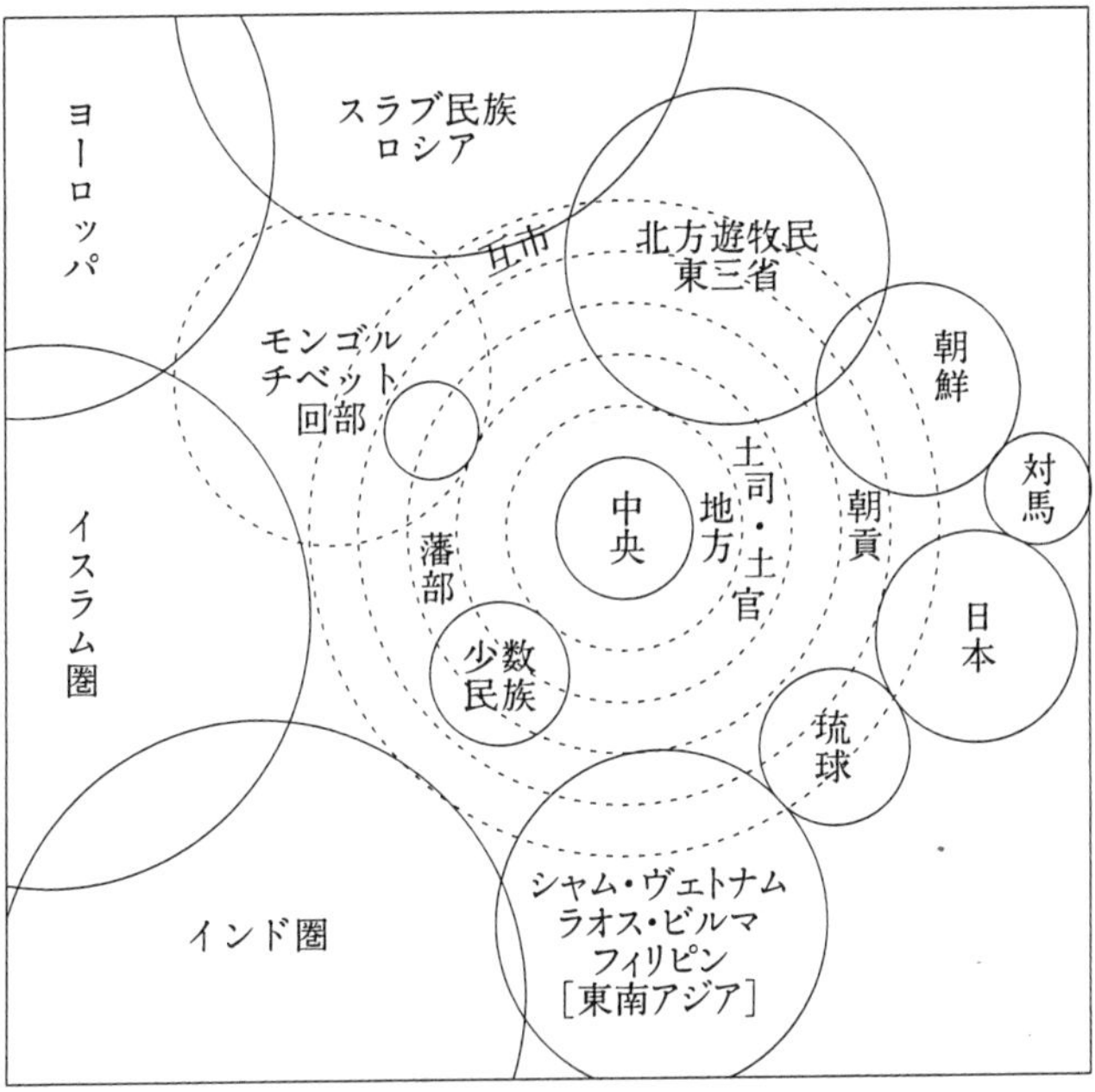

なかにおける日本、という視点をより一歩進めることによって、東アジア地域の歴史的な地域のダイナミズムをより包括的に理解することにもつながると思います。このことも、さきほどの図7で見ていただきましたように、やはり海をふところにして大陸部と半島部、島嶼部が形づくられているという東アジア地域の特徴を、海からもう一度見直してみることによって可能になる議論であろ

うと思います。

中国で十九世紀の半ばに、魏源《ウェイユアン》（一七九四―一八五六年。湖南省邵陽出身）が一八四二年に『海国図志』を著しました。これは西洋も含めた世界情勢を記した経国の地理書で、幕末日本の橋本左内や吉田松陰にも大きな影響を与えています。そこで魏源は「海国」という考え方を出したわけです。たとえば、沿海国、海国という分け方を用いて、言わば海から陸を位置づけています。海禁論や海防論など、中国史のなかで、さらには日本に関する鎖国論など、東アジア史のなかで論ぜられてきた地政学的な海域論にも十分に注目する必要があります。同時に、航路図や海図のさまざまな歴史的蓄積を追うことによって、海を理解することが陸を明らかにすることにつながっていくことも大切な点であると思います。そしてまた海への認識を通してはじめて、地球というもの、あるいは世界というものを考えるという空間認識のひろがりが存在し得ると思います。そういう点で、東アジアの社会が示した、歴史的動態（ダイナミズム）と、それからヨーロッパ社会が示した歴史的変化とは、それぞれの地域が海にどのように取り組んだか、あるいは海という視野をどのように獲得していったのかというテーマを考えることによって、共通性や違い、あるいは相互のつながりも明らかになるであろうと思います。

以上から、これまで、海に対する視点が十分でなかったというさまざまな指摘をふまえて、私なりに課題をまとめてみますと、今後、海という視点が歴史研究、あるいはアジア研究、あるいは地域研究に対して投げかけうる課題は何であろうかということになると思います。ブローデルが『物質文明・経済・資本主義II 交換のはたらき』などで示しました会社組織などの組織の問題も、今後、むしろ海から陸に上がった制度として、さらにたとえば資本主義の問題を考える場合にも、国際金融・航運・海上保険など、海の経済活動と密接にかかわったいわゆる〝見えざる〟貿易の領域を、海の視点を維持しながら考えることによって、アジアの特徴、あるいは東アジア、東南アジアの特徴を歴史的連続性の下に考えることができるだろうと思います。

ヨーロッパの場合には、おそらく海から陸に完全に上がっていく方向を取ると思いますが、それに対してアジアの場合には、組織という問題を考えますときに、もう少し、漠然とした組織として現れてきます。これはこの地域が海の影響を強く取り込んでいるからであると思います。しかし、にも拘らず現在、中国経済に対して組織的なインフラが未整備であると評価するなど、理念型の組織を前提としたアジア論、つまりヨーロッパモデルを経由したアジア論が依然として強いように思います。しかし、東アジアは海域世界との関係において、非制度的なあるいは非組織的な組織のあり方が基礎にある世界であるとしましたら、ありうべき東アジア研究はおそらく、他地域の経済モデルから判断して十分か不十分かという評価を与えるものではなくて、東アジアの地域的な特徴から導き出した論理で、問題をもう一度議論しなおす必要があるのではないかと思います。

ブローデルとウォーラーステイン

最後に、ブローデルの『地中海』を考えますとき、必然的に、ウォーラーステインさんのお仕事にもつながっていくわけです。ウォーラーステインさんの場合には、はっきり、ブローデルの研究とは分業しているのであるという観点から、「近代世界システム」の議論をなさっておられます。一方では地域研究という方向と、他方ではよりシステミックな議論、すなわち世界システムという議論とが、今後どう関連し合っていくのか。お二人の分業は、時代の前後関係としてではなく、ブローデルから導かれる概念、議論の枠組は、普遍性をもつのか、そしてウォーラーステインさんの世界システム論は、むしろより地域的な特徴において、その方法的意味を発揮するのか、こういう点を吟味することも、これからたいへん興味深い検討課題であろうと思います。

参考文献

（1） Jules Michelet, *La mer*（加賀野井秀一訳『海』藤原書店、一九九四）, Paoul Delcorde, *Le jeu des grandes puissances dans l'océan indien* (1993, Éditions L'Harmattan).

（2） Claude Raffestin, *Géopolitique et histoire* (1995, Payot Lausanne).

（3） François-Xavier Verschave, *Libres leçons de Braudel* (1994, SYROS).

総合コメント

日本の海域の観点から

網野善彦

これまでの皆さん方のたいへん興味深いお話のあとで、一番最後に、「日本の海域の観点から」というテーマで、まとめをせよということなのですが、まとめなどとうていできるはずはございません。そもそも、私は外国語はまったくできないものですから、ブローデルの『地中海』も、今度の翻訳ではじめて読んだという状況ですし、しかもなれない地名がたくさん出てくる本なので、けっしてきちんと読めたというわけでもありません。その意味で、こういうところで議論に加わり、何か積極的に発言する資格はとてもないという思いをいよいよ強めておりました。ただしかし、そういう非常に荒っぽい読み方で『地中海』を読んだだけであるにもかかわらず、もしこういう構想で日本の社会、あるいは日本の中世を描くことができたら、という誘惑にかられたことも事実でございます。もう歳をとりすぎましたので、そんなことのできる余裕はまったくないと思いますが……。

第一部でブローデルは、海を中心においてはいますが、半島の山地、あるいは高原等に言及し、砂漠にふれ、さらに気候のあり方にふれるという目くばりのなかでさまざまな生業、交通路、都市の問題にふれています。そこでは農業、漁業、牧畜、林業、商業、手工業等々の諸生業がきわめて平等に偏りなく取り上げられているわけです。さきほど、川勝さんは、日本史学、日本の歴史学には海の視点がないとおっしゃいました。私もまったく同感ですが、私自身は、つねづねなんとか海の視点を取り入れた日本社会像を描きたいと思って仕事をしております。ですから今日はたいへん幸せな日なので、日本史の学会で、このようにもっぱら海を中心とした議論をしてくれることは、まずいまのところおそらく不可能ではないか。前よりはだいぶよくなったと思いますが、そういう状況でございます。ですから今日は、聞く話、聞く話、いずれもたいへん勉強になるお話ばかりで、たいへん幸せです。しかし、もともと海に非常に関心を持ってきた私などは、海の歴史の観点のない日本の歴史学から完全に落ちこぼれてきた人間でありまして、そうした落ちこぼれた人間にとって、ブローデルの地中海世界の取り上げ方は、まことに魅力的なのです。

湖海に恵まれた列島社会

じっさい、日本の地形を考えますと、さきほど川勝さんもおっしゃいましたが、三千七百以上の島があり、二万八千キロメートルの海岸線を持っている。山地が六〇パーセント、低地、台地はわずかに二五パーセントという地形で、このような自然環境をもつ日本列島の社会を考えるためには、ブローデルのようなとらわれない目で社会を見る見方に立たなくてはならない、それでなくては正確な日本社会像を描くことは不可能だと思います。

「日本の海域から」というテーマですから、日本列島に即してみますと、時代を遡れば遡るほど、日本列島においては、海が深く内陸部に入り込んでおります。いま、平野・台地が二五パーセントという数字をあげましたけれども、これよりもはるかに狭くなるはずです。たとえば、岐阜県はたしかにいまは海のない県ですが、古墳時代ぐらいまで、海は大垣の南にまで入っていました。ですから伊勢海というのは非常に広い海だったことがわかります。また関東平野なども南部は水浸しといってよい状況であり、たとえば現在、私はまったく水のにおいのない茨城県の内陸部の三和町《さんわ》という小さな町の歴史の編纂をやっていますが、そこには古墳時代の頃にすでに浜名湖辺で焼かれた焼物が入り込んでおり、戦国時代には船いくさが行なわれていました。江戸時代以降の埋立てが進む以前のこの地域も沼、川の豊かな水郷といってもよい地域だったのです。

また日本海の沿海には、川の流れこむところに、ラグーン（潟湖）がいたるところにあったわけで、このように非常に水に恵まれた日本列島の社会について、川勝さんの表現を借りますと、いままでの歴史学は、基本的に陸地史観、農本主義に立ってその歴史を捉えてきたことになります。今日の皆さんのお話のなかにも、そういう考え方の偏りに対する御批判が一貫して出ておりましたが、日本に即して、多少、具体的なお話を申し上げて、討論のために材料を提供するつもりで、残りの時間を使わせていただきたいと思います。

縄文以来の活発な海上交通と交易

さきほど、これも川勝さんのお話のなかに出ておりましたが、これまで縄文時代は、漁撈、採集、狩猟による生活であって、稲作、農業が流入した弥生時代以後の社会と比べると、非常に原始的な社会だと捉えられていました。ところが、最近の考古学の発掘成果、歴史学の研究の展開のなかで、農業のほうが狩猟、漁撈よりも進んだ産業であるという常識的な捉え方を根本的にくつがえすようないろいろなデータが出てきました。

たとえば、よく御承知だと思いますが、青森の三内丸山の遺跡が最近発掘されましたが、ここからは、驚くべく膨大な土器と石器が出てきました。縄文時代前期からの遺跡ですが、すでに植物栽培も行なわれており、精巧な木器や漆器、さらに縄文のポシェットなどといわれる見事な編み物も、ここから発掘されております。さらに、巨大な柱が等間隔で建てられている。おそらくものさしを持っていたに相違ないと思われるほどのきちんとした等間隔で、巨大な柱を建てて、構築物を造っているのです。そういう製材、土木、建築の技術をすでに縄文人は持っており、非定住どころか、おそらく最大五百人ぐらいの人口が千年以上の年月、同一の地域に生活をしつづけていたことが明らかになってきました。そして翡翠《ひすい》や黒曜石、塩などの流通も非常に広域的に海を通じて行なわれていたことが証明されており、きわめて早く、非常に原始的といわれてきた時期から海を流通の舞台として、活発な交易が行なわれていたことが、具体的に立証されたわけであります。

農業が入ってからの弥生時代以降も、このようなさまざまな生業は一貫して、日本の社会ではさらに多様に展開されていたはずであり、農業一色に社会が染め上げられるなどということは、その後の長い歴史のなかで、一度もなかったのが事実だと思います。

もちろん弥生時代以降、新たに流入してきた技術はいろいろあり、農業だけではなく、養蚕が行なわれ、麻や苧が栽培され絹や布が織られ、牧で馬や牛の牧畜が行なわれる、銅や鉄の冶金、加工が発展する等々、縄文以来、木器の生産や狩猟、漁撈、製塩などを含めて、非常に多様な生業が日本列島の社会では行なわれていました。これらの技術のなかには、専門的な職能民によって行なわれなくてはならない場合もありえたと思いますが、ほとんどは一般平民の技術としてひろく行なわれていたと考えることができます。つまり、後に百姓と呼ばれる人々は、農業だけでなくこういう多様な技術を、それぞれに自分たちのものとして行なっていたという状況が見られたのですから、当然、商業、交易は、縄文時代にはじまり、弥生時代以降、いっそう活発化してゆきます。さきほどから、海は流通の道であり、人と人とを結びつける道であることが強調されておりますが、日本列島でも、弥生時代以降、専門の商人が現れて、日本列島をめぐる海を通じての交易はきわめて活発であったと考えてもよいのではないかと思います。

海圏から見た列島と人びとの生業

浜下さんの図7（一九九頁）を見ていただきますと、海をめぐる環海圏の図が書かれております。日本列島に即して見ますと、これまではどちらかというと、東シナ海圏から流れ込んで来る文化の道が、日本文化を育てた基本的な文化の流入路だと考えられてきました。たしかにこれがまさしく「日本国」という国家を七世紀後半にこの列島に生み出した文化の流れであることはまちがいありません。

しかしそれだけではなくて、オホーツク海圏の円が、たぶん本州の真ん中ぐらいまで延びており、北の海からの文化の流入は、じつはたいへん活発であったと考えなくてはならないのです。そして、そうした北方の交易を担っている民族としてのアイヌをかなり早くから考えておく必要があります。十三世紀ごろからの北海道のアイヌは、交易民族としてサハリンやアムール川にも進出しており、北東アジアと日本列島とを結ぶ積極的な役割を果たしていたことが、最近はっきりわかってきました。日本列島の地域を一つに考えず、海の視点を入れて見ますと、たぶん本州の真ん中ぐらいで大きく東西に区切られることになります。

それだけではなくて、日本海――この名称についてはさきほど浜下さんも指摘しておられましたように、最近、韓国の学者が、海に国の名前を付けること自体に抵抗感を示され、エメラルド色の青い海である日本海の特徴をよく表した「青海」と名付けたらどうかという提案を『朝日新聞』でしておられました。私はたいへん面白いご提案だと思っておりますけれども、ここでは一応、日本海と呼んでおきます――、その日本海の海上交通がきわめて活発であったことはよく知られておりますが、太平洋側の交通もきわめて盛んであったことが最近よくわかってきました。知多半島で焼かれた常滑焼が十一世紀ぐらいには大量に奥州の平泉に入っており、常滑焼は鹿児島あたりまで、紀伊半島を越えて流入していますので、太平洋の交通も活発であったことは明らかです。これはさらに南のほうにまで延びていく可能性を十分にもっている流れだと思います。

そういう状況ですから、日本列島に生きる人びとが、海に依拠しなくては生きていけなかったことはまちがいありません。そしてこういう視点に立って考えてみますと、これまで農民と思い込まれてきた百姓の半分ぐらいは農業以外の生業を主にしている人びとだと思いますので、縄文時代はもちろん、日本列島の人口の半分以上が、現在にいたるまで非農業的な人口であったと言うことすらできるのではないかと、最近私は考えています。つまり、日本列島の社会は最初から現在まで、農業中心の社会だったことはなかったことになります。当然、川勝さんが言われたとおり、陸上史観で農業一色、陸地一色で日本列島の歴史を捉えることはまったく不可能であり、その意味からも、今日のお話をたいへん心強く伺いました。ただ、川勝さんの議論と少しずれるところがありますので、あとの討論のために、その点にふれておきたいと思います。

「日本」国の誕生と陸上・農本主義——古代

川勝さんは三つの段階について述べられましたが、私も基本的に同感です。まず日本国は七世紀の終わりの頃にはじめてこの地球上に現れます。当然それ以前には日本人はいないので、聖徳太子は「倭人」であっても日本人ではない、と断言することができます。もちろん「渡来人」だったという意味ではまったくありません。そして倭人と日本人とは実態としてもちがう、日本人のほうがひろい範囲になると思います。日本国の国制は儒教に基づいており、この国家は支配下に入った領域に農本主義、陸上主義を強力に貫徹しようとします。それとともに、「日本」という国号を名乗るこの国家は支配領域をひろげようとします。そして日本国は八世紀に東北、南九州を侵略して、東北人、南九州を支配下に入れようとします。東北北部はついに、十二世紀まで、日本国の支配下に入りませんでしたが、さらに十九世紀に入って北海道のアイヌを支配し、琉球を併合して、ようやく日本列島全域を支配することになりますけれども、この日本国の「基調高音」とでも言えるのが、農本主義で、非常に声高に農本主義、陸上主義をこの国家が強調してきたことはまちがいありません。

水上交通への本卦返り——中世

もっとも、それが社会の実態に強力な力をおよぼしたのは、八世紀——奈良時代の百年と、明治以後、敗戦までの八十年ぐらいしかないだろうと思います。日本国が出現してから現在まで約千三百年ですから、陸上交通が交通体系の中心だったのはその十分の一ぐらいだろうと思います。奈良時代を越えて九世紀になりますと、交通体系は完全に本卦返りして、海と川の交通にもどり、十一、十二世紀には大陸から大量の青磁や銭貨が持ち込まれる。そして十三世紀後半以降になると、銭が社会に浸透します。そしてさきほど、会社組織は海からできたというお話がありましたが、やはり海の交通を基盤にして、日本列島の社会には為替手形が自由に流通をはじめているのです。鎌倉時代後半以降、現銭の輸送にかわって、為替手形による送銭が行なわれはじめ、やがて十貫文の額面の手形がそれとして流通するようになっています。

「鎖国」幻想と経済社会の成熟——近世

思想的に見ても、十三世紀後半以降、十五、六世紀にかけては「農本主義」に対抗して「重商主義」とでも言うべき思想がはっきりと表に現れてきます。港湾の都市のネットワーク、あるいは廻船人のネットワークは、日本列島全域におよんで形成されており、それは列島外にもまちがいなくつながっています。たしかに十七世紀、ふたたび、政治の建前は農本主義になり、「鎖国」と言われる体制ができてきますが、じつはこの社会、近世社会は、川勝さんが経済社会と言われたとおりの社会であり、私はそれを十三世紀後半以降にまでひきあげてもよいと思います。十四世紀以降の日本の社会は経済社会であり、資本主義はそこから考えなくてはならないと、最近は思っているのです。

そういう意味で、経済社会はまさしく近世に成熟期に入ります。建前は農本主義でありますが、きわめて都市的な社会なのです。「鎖国」というのもまったく不正確で、浜下さんの**図8**（二〇四頁）に見られますように、日本から琉球を通じて台湾に、さらに東南アジアに流れていく道がありますが、これが江戸時代の日本列島の公式の窓口の一つです。これが薩摩→琉球→東南アジア、あるいは中国という流れですが、もう一つの窓口は、対馬を通して朝鮮、さらに、長崎を通じて中国あるいはヨーロッパに開かれている窓口があります。この図には残念ながら抜けておりますが、もう一つの道として、松前からアイヌを媒介として北東アジアとの交易を行なうルートがありました。この太い四つの公式貿易ルートを通じて近世の日本はきわめて活発に交易をやっており、最近の研究ですと、抜け荷と言われた密貿易も、江戸後期にはいたるところで活発に行なわれていたことも明らかになっています。

陸上・農本主義国家への回帰と侵略——近代

ところが、明治以後、交通路は軍事上の理由から鉄道に重点が置かれることになります。律令時代の陸上の道も、これまた完全に軍事的な理由、つまり「帝国」という性格をもち、四方に勢威をひろげようとする律令国家の軍事的な必要からつくられたのですが、同じように「大日本帝国」になった近代以後の日本は、まさしく軍事的帝国主義的な政策を実現するため、交通路をやはり陸上中心に置くことになったのです。そして建前として、近代以降も思想的には農本主義が強調され、ふたたびそれが社会に強い影響を及ぼすことになっています。この農本主義の立場から、アイヌは「遅れた民族」にされ、「進歩」させるために農業を強制され、その民族生活をめちゃくちゃにされてしまいます。朝鮮半島や台湾にも、日本流の稲作が持ち込まれて、水田が開かれる。そしてついには中国東北まで水田を開こうというところまでいくわけで、農本主義の行きついたところはそこまでいってしまうわけです。

こう考えてきますと、日本列島の社会は、全体として見ますと、けっして農業的要素が支配的だったわけではなく、アジアの地域のなかで、歴史的に見ると、農業社会としてよりも、むしろ非農業的な生業、貿易や交易を活発にやってきた社会である、と考えたほうが事実に即していると私は思っております。これは琉球とかアイヌについてはすでに言われていることでございますが、日本列島人全体が、東アジア―北東アジア、東南アジアまでふくむ世界のなかで、交易を活発に行ない、それに依存して生活をしてきた人びとである、と言ってよいと思います。ところが農本主義あるいは陸上主義的な国家がそこに生まれたとき、日本列島人の社会は著しく侵略的な性格を示すようになる。歴史の流れを考えてみますと、だいたいこういう筋道になってくるように思います。

無主の平和な交流の道としての海

さきほどから、海をいかに支配するかという問題が提出されており、確かに政治的支配者にとってこれは大きな問題で、これから後の討論で必ずこの問題が出ると思いますが、私は、海は本来的に平和な交流の道であり、もともとだれのものでもない無主の世界だと思います。もちろん地球全体がそうだとも言えますが、なかでも海はそうした無主の性格をもっとも強く持ち、いまだにそうした性格を保ちつづけている世界だということができると思っています。

その意味で、海から見た歴史は、新しい二十一世紀以後の歴史学のあり方を、はっきりと指し示しているのではないでしょうか。海が人類社会に対して果たしている役割を、ただ単に経済的な面だけではなく、思想的、文化的な側面にまで問題を広く拡げて考えていくことが、今後の歴史学の大きな課題になるのではないかと考えています。ブローデルの『地中海』は、そのような問題を考えていくうえで、現在でも、われわれにとってたいへん強い刺激を与えてくれる書物だと思いますし、門外漢の私にとっても、ブローデルの本の読書は本当に楽しい時間でした。

突然、異様な話がでてきたような感じで受けとられると思うのですが、歴史学から落ちこぼれて、ひとり、海の歴史を強調している者の繰り言だと思っていただいて、御容赦いただきたいと思います。

総合討論

網野善彦・石井米雄・鈴木董・二宮宏之
浜下武志・家島彦一・山内昌之
（司会）川勝平太

川勝　ただいまより、パネルディスカッションをはじめさせていただきます。

お一人二時間ぐらい話しても時間が足りない大家が七名もお集まりです。驚くべきことに、本日はいままでのところ予定時間どおりに推移しております。時間厳守はあまり地中海的ではありませんが（笑）。この会場は七時までとれていますので、場合によっては時間いっぱいまで議論を延長するかもしれません。山内さんは都合で六時半に退出されます。その旨あらかじめ御了承ください。

地中海はブローデルの言葉をまつまでもなく歴史のすばらしい宝庫であり、そのことは本日の報告・コメントでも確認された通りですが、ただいま、浜下さんと網野さんからは、東シナ海、南シナ海、日本海、オホーツク海等にかかわる、これまた惚れ惚れするようなお話をしていただきました。

これまでの報告とコメントがあつかっている領域は広く、論点も多岐にわたっています。これからの討論で守っていただきたいことは、海への視点を見失わないことです。大きな主題は、海の支配にかかわる政治の問題、生活ないし文化にかかわる問題、そしてそれらと不可分な文明にかかわる問題です。これらについて討論願いたいと存じますが、進め方は、お一人ずつ順番に発言を求めていくと面白くありません。発言したい人には手をあげていただき、発言した者勝ちというやり方にさせていただきます。統制がきかないくらいの論戦をやっていただきたいと思います。乱戦を期待いたします。

海と船——ジャンクとダウ

川勝　さて、とっかかりとして、海と船との関係をとりあげたいと思います。海には船がなくてはなりません。農業社会にとっての栽培植物、また牧畜社会にとっての家畜にあたるのは、海域世界にとっては船です。船の話は、間接的に出ていましたが不十分でした。

インド洋にはダウ、シナ海にはジャンクが行きかっていました。なぜイスラムのダウは、シナ海にはいりこみながらジャンクにとってかわれなかったのか。一方、中国のジャンクは、鄭和のように東アフリカまで行く力があったにもかかわらず、イスラムの海であったインド洋に支配権をおよぼせなかったのか。東南アジア地域は、インド洋とシナ海という二つの海の生活圏の交流する場ですが、船という観点からは、どう位置づけられるかということも興味深いところです。

そこで、まず浜下さんからジャンクについて、つづいて家島さんからダウについて、お話いただきたいと思います。

浜下　ジャンクは、中国沿海の小さな木造船であると理解されていますけれども、漢字のあてはめ方は別で、戎克《ジャンク》と表記され、そこには舟偏がついていません。これは中国の文字表現としては異例のことと言いますか、むしろ、もともと中国の言葉ではないことを意味しているわけです。ですからこれは東南アジア沿海へ行ったり、さらにインド洋にまでおよぶわけですけれども、インドの海洋史研究者たちが、ジャンギ（Jangi）という表記でインド洋沿海の船を表しておりまして、ジャンクそのものは、けっして中国沿海の起源ではなくて、むしろ東南アジア、インド洋から中国沿海一帯を動き回る船と考えられます。このジャンクの例の他に、たとえば、ピクルという言葉は、重さの単位ですが、六〇キロ

19世紀初頭，広東珠江下流の海珠砲台の図。付近に大小のジャンクが見える。

中国南方型の遠洋ジャンク。構造上の特徴は，平底，方頭，高尾，四角帆である。

琉球王朝期，那覇港に集散するジャンク。中央の大型船は清朝への朝貢使節を運ぶ進貢船。福建省で建造され，前方の目玉は魔除け。

福建で建造され琉球で使用された外洋ジャンクで，楷船と呼ばれた。

グラム＝一ピクルという重さは、インドネシアのピコール（担ぐ）という言葉から来ており、それは中国で長いあいだ、貿易統計の重量単位として使われていました。このような形で東アジアに対するイスラム文化あるいはインド洋文化の影響は、東南アジアを経由して名付け変えられ、そして中国に入ってきたものと思います。それから泉州の海洋博物館に大きな木造船がありますが、十五世紀初頭の鄭和の遠征などにつながる大型船です。メッカにまで中国の船が行っておりますので、ジャンクには、沿海を動き回るものと、非常な長距離航海ができる大型船という二種類があったと思います。

川勝　つぎに、ダウについて家島さんからお願いします。

家島　英語の辞書を引きますと、ダウ（dhow）という言葉が載っております。これはアラビア海を中心として活動する、三角帆を装備した木造型構造船のことでありますが、この「ダウ」という言葉の語源の正確なところはわかりません。もともとアラビア語に「ダウダウ（dadwdaw）」あるいは「ダウ（daw）」という古い言葉があり、それはティグリス川で使う小型船の意味ですが、十三世紀の前半に著されたアラビア語辞書では、明らかに川船ではなく、大洋を航海する大船の意味でも使われています。つまり十三世紀以前と以後とでは、ダウの意味内容が大きく変化していることがわかります。このことは中国から来たジャンクが南西インドのカリカット、クーラムなどの港にやってきたために、当時の中国語の船を指す「ザウ」という言葉と、本来、アラビア語で小型船を意味した言葉の「ダウ」とが一緒になって、意味内容が変わっていったからだ、と考えられます。では中国船の「ザウ」というのが何を示したのか。これは浜下さんにお訊きしたいのですが、たとえば、十四世紀の四〇年代にイブン・バットゥータがインド南西端のカリカットに入港していた中国のジャンクを大型、中型、小型の三つに分けました。大型の船を「ジュンク（ジャンク）」、その中型の船として「ザウゥ（zaww）」という言葉を使っています。したがって、この言葉がイスラム世界に伝わり、本来は河川の小型船であったダウ、ダウダウが、音の類似から、大洋を航海する大型船を意味するように変わったのではないかと思います。

古くからペルシャ湾とアラビア海を舞台に活動したダウは、三角帆を装備した木造の縫合船です。つまり、船の側板と側板、また肋骨材を釘ではなく、ココヤシの実の靭皮繊維から造ったコイル（細紐）で縫い合わせた船です。こうした構造を持った船は、七世紀末から十世紀前半の頃まで、中国とペルシャ湾岸の港（バスラ、シーラーフやスハールなど）とのあいだを往復航海していました。こうした縫合船は、おそらくシュメール、アッカドの時代、つまり紀元前の一五〇〇年あるいは二〇〇〇年まで遡る頃から、ペルシャ湾とアラビア海を横断して、シュメール、アッカドの文化と、インダス川のハラッパ、モヘンジョダロの文化とをつなぐ交流活動を行なっていたと考えられます。

ケニヤの北部マンダ島の近くを帆走するダウ（ジャハージー型ダウ）。

マルディヴ群島のドーニー帆船。

パキスタンのカラチ港にあるダウ造船所。グジャラート系船大工と建造中のダウの内部。

ケニヤのモンバサ旧港（ダウポート）に碇泊中のドバイ船籍の大型ダウ（ブーム型ダウ）【右】と，そのマスト【下】。

＊何れも家島彦一撮影

三角帆を装備したダウは、モンスーンと吹送流《すい》をたくみに利用して、ペルシャ湾、アラビア海、紅海とインド洋西海域をひろく航海し、イスラム以後になると中国の海南島、広州、明州や揚州などまでやってきました。中国ジャンクは、十世紀以前には東シナ海を中心として活動していたものが、十世紀半ばにはマライ半島のカラ（カラバール）まで進出するようになります。そして南宋から元初にかけて、つまり十二世紀半ばから十四世紀には、南西インドのカリカットやクーラム（クイロン）まで達したのです。このようにダウの活動圏は、十世紀前半まではアラビア海、ベンガル湾、南シナ海までひろがっていましたが、十世紀半ばにいたって徐々に後退し、代わって、ジャンクがベンガル湾まで進出するというように、海をめぐる活動圏は時代によって変化する。その変化の過程を明らかにすることが、海の歴史を語る一つの指標になっているわけです。

なお、「イスラムの海」とか「イスラムの船」といった言い方は、あまり適切な表現ではないと思います。つまり、船に乗っているのはキリスト教徒もいれば、ヒンドゥー教徒、ユダヤ教徒もおり、イスラム教徒（ムスリム）もいる。そしてジャンクには、船員と商人、旅人などふくめて、じつにさまざまな人間が乗り組み、海を共通の舞台に活動していたのです。時代とともにジャンクの活動圏とダウの活動圏は変化しますが、海の担い手、海を利用し、海に生きる人びとは、さまざまな人種、宗教、さまざまな出身地域を異にする人間が海を共通の舞台に活動していた、と捉えるほうが正確ではないかと思います。

川勝　ありがとうございました。ジャンクやダウは、いわゆる「大航海時代」にヨーロッパ船が世界に雄飛する以前から活躍していたことがよくわかりました。

さて、十九世紀後半における帆船から蒸気船への変化は大きいものですが、それ以前の歴史的画期としてのダウとジャンクとの相互の影響関係、あるいは対抗関係はどのようなものであったのでしょうか。船という観点から見ると、海域の歴史の発展段階はどういうふうに見られるのでしょうか。

家島　それを具体的に描くことが私の仕事であり、陸における政治的・経済的な変化というものが、海の支配をめぐる関係にどういうふうにかかわってくるか、両者のかかわりを明らかにすることで、歴史の変化を捉えるというのが、海を見ていく一つの新しい視点であると思います。インド洋におけるダウとジャンクとのかかわりでは、すでに説明したように、十世紀半ばが大きな転換期になります。

川勝　シナ海におけるジャンクの歴史における革命的変化はどのあたりでしょうか。

浜下　家島さんがおっしゃったザウについてですが、ザウという発音には「舟」という字が近いかもしれません。けれども舟は一般的には小型船を指しますが。またジャンクは非常に歴史連続的で、かつ強いローカルな特徴を持ち、かつ古くから広く用いられていたと思います。福建船などは、琉球からの朝貢貿易のために、福建で造られ、琉球に送られています。それからもう一つ、船大工というのでしょうか、専門技術者たちが日本も含めて東アジアの海を回遊していることもまた非常に興味のある事実です。船の技術者が回遊して、船を修理したり、造ったりしていることも、ジャンクの活動範囲の輪郭を表すものです。これにさらに十三世紀に入りますと、鄭和の遠征に用いられたような宝船と呼ばれる数百人が乗り込む大型船が加わります。ですから、旧勢力と新勢力がどう交替するかというよりも、むしろ相互に伝播していくという、新たに加わっていく側面に私は注目しているわけです。

家島　造船技術と並んで、航海術についても同様で、ダウによるインド洋のモンスーン航海術や天測術が、中国にも強く影響していると思われます。とくに宋代になって中国ジャンクが南海に進出して行ったきっかけは、アラブ系とペルシャ（イラン）系の航海者たちによるインド洋の航海術の影響が考えられます。このように造船、航海技術は、東西に影響し合い、共通する海の文化として発展していったのです。

川勝　大変明快な説明をいただきありがとうございます。海と船との関係についてインド洋、シナ海域についてイメージができたところで、西方の地中海に視点をうつしたいと思います。

海の支配——地中海における覇権争い

山内 さきほど、網野さんは海は平和なものであるといわれ、そのとおりだと思いますが、事実として、レパント沖海戦、この描写はブローデルの作品のなかでもかなり圧巻でして、そこではやはり船の意味もかなり大きいと思います。その船は、平和裡の船ではなく、むしろ造艦技術、造兵技術の革新によってもたらされたものです。ブローデルの『地中海』には、軍事史あるいは造艦史的な角度からの言及が少ないように思われますが、最近の研究で新知識がずいぶん蓄積されています。

この点はかなりおぼつかないのですけれども、今日は勇気を奮って、少し専門外のことも話をさせていただきます。専門外と言いましても、前に『オスマン帝国とエジプト』(東京大学出版会)という本を書いたことがあります。その副題は「一八六六年—六七年のエジプトのクレタ出兵の政治史的研究」です。私はクレタに関して、一時期かなり集中的に仕事をして、エジプト、トルコ、フランスの史料で書いたことがあります。そのときの問題関心に多少軍事史的なことがありましたので、それとの関係で述べたいと思います。

オスマン海軍が使っていた船は、基本的には有名なガレー船です。ガレー船は両方からオールを出して漕ぐわけですが、基本的には、舷側に砲を置けません。当時のオスマン海軍が使っていた船は、もっぱら船首と船尾に、せいぜい青銅砲を置ける程度です。ところが、十六世紀にヴェネツィアを中心に、船長が七〇メートル以上、船幅が一〇メートル以上という、かなり大きな改良船が造られました。これが普通、ガレアス船と呼ばれる船です。ガレアス船は、漕ぐ部分（漕座）がだいたい五層になっていますが、あまりにも巨大だったために、すぐに改良されて、重さを減らします。そうすると、舷側に砲門を積める。多い場合には、左右の舷側に七門以上の砲を置き、これは地上の戦闘にも使うことができます。この七門以上の砲で両舷から斉射できるのに対して、オスマン海軍は旧式船で、レパント沖海戦の段階では、そこまで達しえなかった。そのことが、軍事史的にみると、レパント沖海戦でオスマン軍が劣勢になったことの一因であろうと言われているようです。

ただ、ガレアス船は人をたくさん必要とします。戦闘員と漕ぎ手を合わせて全体で四〇〇人ぐらい必要であったと言います。レパント沖海戦でキリスト教側が二〇八隻とブローデルは言っていますけれども、最近の研究では四〇〇隻という数字も出ています。ちょうど二倍です。もし、四〇〇隻という最近の研究の数字をとる場合、一六万人ほどの人間が戦闘に従事したことになります。ヨーロッパ側ではかなり大規模な戦闘員プラス船員が戦闘に従事したことになり、十七世紀のあるフランス人のガレー船船長がガレー船一隻分の

「人口に遠くおよばない村々が星の数ほどある」と述べているほどです。つまり、当時のヨーロッパのどこの村よりも多い人間が船に乗り組んだことにもなります。その意味では技術革新を遂げた戦闘様式プラス技術と、オスマン側の海軍の技術革新の遅れがレパント沖海戦の背景にあったのではないかということです。

ジャンクについても一言させて下さい。ジャンクはイスラムやヨーロッパの史料にも間接的ながらよく出てきます。軍事的には、アヘン戦争に象徴されますように、ジャンク対ヨーロッパ船の戦闘は問題にならなかったわけです。その主な原因は、レパント沖海戦との関係で申せば、私の考えでは、やはり積み込める砲の重さが軽かったからではないでしょうか。レパント沖海戦のときでも、青銅砲で少なくとも六〇ポンド砲を一門搭載できたんです。ヨーロッパ側は、それ以外に一五ポンド砲、一六ポンド砲を二門搭載できたと言われています。ところがジャンクは、十七世紀のある史料によれば、せいぜい三ポンド砲を積める程度です。三ポンド砲対六〇ポンド砲では、おのずから軍事技術の優劣ははっきりしていたように思われます。加えて、十七世紀のヨーロッパ側の見聞で、珠江を見たイングランド人のようですが、その証言を信じると、船の厚さと木材の質が弱いといっていますす。ですから、砲を乗せることはたいへんむずかしかったのではないか。やはりヨーロッパ、イスラム、中国という、西地中海、東地中海、さらにインドを経て東シナ海という地域差のある船舶と軍事技術の関係が重要です。近世から近代にかけての軍事技術が変化し、やがて征服、被征服という関係になったのではないかということを、ブローデルの本の延長、あるいは応用で、連想しました。

川勝 主にレパントの海戦を例にとって、オスマン海軍の軍事技術のレベルを中心にしたお話でしたので、トルコが御専門の鈴木さんにフォロー願います。

鈴木 いまの地中海についての山内さんのお話、非常にまとまった形で、レパントの海戦の前後の事情について御説明をいただきましたが、ブローデルの著作の末尾で、レパントの海戦でイスラムの地中海支配は終わったと述べているのは、実際にはかなり違っていると思います。そのような見解自体が、当時の研究状況を反映していると言っていいかと思います。そもそも、基本的に船の形からいうと、古代以来、十六世紀の末まで、地中海はガレー船の世界です。凪いだ海域なので、帆をあまりあてにして動けません。したがって、吃水線の低い手漕ぎの船に頼るというのが普通でした。戦闘の形も、いま、山内さんから、レパントの海戦のときにいかに革新が行なわれていたかというお話があったわけですが、基本的には砲は船尾と船首についていて、お互いが相手船に乗り込んで、斬り込みで相手船を制圧するという戦闘が、古代以来、十六世紀の末まで主流をなしていたのも確かであるわけです。

その意味は、非常に興味深いのは、文化圏の問題について基調報告の際にふれましたが、地中海というのは、環境と、環境を制御する道具との関係について見ると、文化圏の差を越えて、イスラム世界も西欧世界も同じ道具、つまりガレー船を用いていた共通の世界であったといえます。その点では、乗り手はいろいろ文化的にも異なりながら、同じ環境で同じ船が走っていたわけです。その点では、ダウの世界、ジャンクの世界と、やはり共通するものがあります。

ただ、十六世紀について見ると、地中海をめぐるオスマン帝国と西欧キリスト教世界の諸勢力との抗争は、だいたい一五一〇年代ぐらいからはじまっています。この抗争が最終段階に達するのは、じつは一五七一年のレパントの海戦ではありません。むしろ一五七四年のオスマン朝によるチュニジアの最終的征服によって、一連の抗争が終わりに達したということができるかと思います。その間の一事件として、一五三八年のプレヴェザの海戦があります。また一五六五年のマルタ島をオスマン朝が攻めるという事件があります。この非常に長い抗争のなかで、オスマン朝側の動きは、当初は地中海の東北の一画だけにほぼ限られていました。オスマン帝国は、一五一六年までは地中海の東北の一画を占めている勢力だったわけです。しかし、一五一六年から一八年にかけて、地中海の東南の一画も征服します。すなわち、マムルーク朝を倒して、シリアとエジプトを得て、東地中海の全周辺をほぼ制圧します。

　そうなると、その中心にある海を押さえることが必要になり、海上での活発な活動がはじまるわけです。この活動は、ロードス島を一五二二年に落とすというところからはじまり、これによってすでに東地中海をかなりの程度に、オスマン側の支配下におさめます。それに続く抗争の非常に大きな焦点は、地中海の西にいかに向かうかということでした。ちょうど一五三三年にアルジェリア水軍の頭目のバルバロッサことフズール・レイス、すなわちバルバロス・ハイレッティンという人物が、帰順することによって、今度は地中海の西南に拠点ができます。

　それに加えて、一五一九年に神聖ローマ皇帝にハプスブルク家のカール五世が即位したとき、そのもっとも重要なライバルであったフランソワ一世は、カールとの争いに敗れ、その後、実際に戦闘においても一時、捕虜になり、ハプスブルク勢力に対抗すべく同盟者を文化の境界を越えて外に求めることになります。こうしてスレイマン大帝のオスマン朝とフランスとの事実上の同盟関係ができます。今度は、西北の一画の中央部にも拠点ができたわけです。

　地中海の東南と西南と西北に新たに拠点を得たオスマン朝が次に狙ったことは、西地中海においても覇権を争うということであったわけです。その覇権争いの非常に大きな一つの転機は、一五六五年のマルタ島攻略です。マルタ島を押さえることができれば、イタリアとチュニジアのあいだの水道を自由に航海できることになります。しかし、この試みには失敗し、それは非常に大きい意味をもちます。そのことは、ブローデル自身も、『地中海』のなかで書いています。ただ、そこでブローデルは、オスマン朝の西方に延びる道は閉ざされたと書いていますが、そこまで言ってしまうとやや言い過ぎかもしれません。じっさい、その後も抗争は続き、戦場はまた東北の一画に戻り、一五七一年にキプロス征服が行なわれ、それに対する対抗行動の結果としてレパントの海戦が行なわれます。この海戦で、オスマン海軍は、確かに大敗を喫します。

そこで、この海戦について、補足的なことにふれたいと思います。確かに山内さんが言われたように、この戦闘における決定的な要因の一つは、やはり、舷側にも大砲を装備できるガレアッツァ船（ガレアス船）が僅か六隻ほどながら先陣を承って参加していたことで、このことは非常に大きな意味をもちます。しかし、それと同時に、このことはオスマン側と西欧側の技術力が決定的に開いたことを必ずしも意味していたわけではありません。オスマン海軍の敗因については、戦術的な誤りが一番決定的であったのです。戦術的誤りがなければクリアできたかもしれない程度の技術力の差は確かにあり、戦場では決定的な意味をもったということになります。しかし、キプロスは海戦が行なわれる直前にオスマン側の手に落ちております。そして七一年十月に海戦があったのですが、その秋から冬、七二年の春にかけてオスマン艦隊は再建され、ほぼ前と同規模の艦隊ができあがります。しかも注目すべきことは、オスマンの新艦隊には、ガレー船を中心としながらもガレアッツァ船も加わっていたことです。ですから、そこでの技術力の差は、ほんの一歩の差であって、決定的な差になっていなかったと言えます。

その後、ドン・フアン・デ・アウストリア自身がチュニジアに向かい、チュニジアを一時、ハプスブルクは制圧します。しかし、この一連の抗争は、結局、再建されたオスマン艦隊が一七五四年にチュニジアを最終的に制圧して終結します。こうして、地中海においては、オスマン優位のままで、半世紀以上にわたった抗争はほぼ終焉を迎えることになったわけです。

ただ、注目すべきなのは、レパントの海戦が地中海におけるガレー船を主体とした最後の大海戦であったことです。その後、地中海は十八世紀にいたるまで、ほとんど無風地帯になってしまいます。その意味では、オスマン側がヘゲモニーを失ったというより、せっかくオスマン側が大きな犠牲を払いながら、ある程度、ヘゲモニーを得た地中海そのものが、十七世紀には内海になってしまったと言えます。この頃になると、地中海は、西側にとっては、総力を挙げて、古風なガレー船をもって海戦を行なうような場所ではもはやなくなっていきます。彼らの関心は地中海の外に向かっていきます。オスマン朝の側は、外洋に対する強い関心はついに持てず、外洋航海型の強力な大型帆船を造ろうというインセンティブをついに持ちません。ただ、インド洋におけるポルトガルの活動に対しては、ある程度は関心を持っていました。一五三八年には、百隻近い船に一万をこえる兵員を乗せて、ハードゥム・スレイマン・パシャというスレイマン大帝の時代にエジプト総督を長くやった人物が派遣されて、西インドのグジャラートの海岸のディウのポルトガル拠点を包囲します。これは失敗しますが、この際に、途中のアデンを押さえて、紅海の入口を固めるのには成功します。

その後も、一五六五年には、スマトラの西端のアチェのスルタンから、ポルトガル人と戦うための援軍を求めるという使いが来て、スレイマン大帝歿後のセリム二世のときに、これに応えて大艦隊を組織します。しかし、イエメンで反乱が起こったために、反乱を鎮圧するのに手間取って、結局、艦隊派遣は小規模化されて、多少の軍事要員を送るにとどまります。こうしてオスマン帝国は、インド洋には、ある程度、持続的に関心を持っていましたが、地中海がますます内海になる時代にも、オスマン帝国はもっぱら精力を地中海に傾注し、インド洋ルートにおけるヘゲモニーを握ろうとはしませんでした。

その意味では、オスマン帝国はダウの世界とは、比較的、縁が遠く、少なくとも自ら積極的にそれに乗り出すことは少なかったのです。したがって、その世界に外洋航海船が入って来たときにも、それに対する対応は非常ににぶいところがあったということができるかと思います。

生活の海——船は生活の道具

川勝　船の技術、なかんずく軍事技術と海の支配をめぐる問題に話題が集中していますが、ヨーロッパ側からの見方を二宮さんにお願いいたします。

二宮　私は船の技術的な面については何も申し上げる能力はないのですが、ブローデルが海を中心にした一つの世界として地中海世界を考えましたときに、当然のこととして船の問題が重要なテーマとして浮かび上がってきます。ところが、ブローデルのアプローチにはやや意外なところがあって、海だからすぐ船というわけにはいかない。彼はこの書物の第一巻で、環境のことを集中的に取り上げるわけですが、たとえば季節についての記述でも、静かな夏のところから話をはじめないで、まず、きびしい冬から話をはじめているのですね。地中海というのは油のような静かな海などというふうに思われているけれどもそれは大まちがいだ。冬になれば大西洋の側から風が吹きすさんで、波が高くとても航海はできない。ガレー船ですら動けない。冬を背負っては、戦いもできなければ交易もできないというようなところから話をはじめております。

これまでの議論では、遠距離交易やレパントの戦いをはじめとして覇権を争う場面での船が前面に出てきましたが、地中海というのは、日常的に言えば、その地域の人びとの日々の生活を支える海でありました。そこでブローデルは、海をなによりもまず生活の場として考えていくのです。冬のあいだは荒れていて船が出せないのだが、春分を過ぎてしばらくたつと、まったく見違えるように海が静かになって、小舟でも沖合に出られるようになり、沿岸の港と港を結ぶ交易がはじまるというんですね。そして、ガレー船もすいすいと渡り歩くようになる。しかしそれは同時に、海賊が跋扈する季節でもあり、お互いに戦争をやろうなどということを考えだす季節でもあった、というような形で地中海を描いていくのです。

ですから、船の問題というのも、いろいろなレベルで考えなくてはならない。戦いをするための船のレベル、それから遠距離の交易をするための船のレベル、それから本当に近くの沿岸の港から港をつないでいくような小舟の世界というのもあるわけです。網野さんが日本について、交通の面でも圧倒的に海と川の世界だったとおっしゃいましたけれども、ヨーロッパについてもまったくそのとおりで、海と川を伝って穀物を運び、木材を運び、やや重いもの、かさばるものはみんな海と川を使って運びました。そういうわけで、海というのは海の上だけを船が走り回っているのではなくて、陸を支えるために船が走っているわけです。そこのところをうまくつかんでいくことが必要で、穀物取引など、フランスの場合でも、港から港へと船で運ぶほうがはるかに効率もよく、たくさん運べます。ですから穀物価格の変動をずっと追ってみますと、少し離れていましても港間の穀物価格は水準がかなり近くなりますが、陸地にちょっと入りますと、その距離は短くても穀物の値段が港とはとても違った変動を示します。そういう価格史などの研究を見ましても、ある地域の仕組というのがずいぶん川と海という、水を伝ってでき上がっていたということがわかってくるわけです。

陸と海との関係

二宮 そこで、いま、議論は船の話からはじまりましたが、じつは、ブローデルのこの『地中海』という書物をどういう方向で考えたらいいだろうかという問題に一言ふれておきたいと思います。本日の後半のテーマは「海から見た歴史」と大きく括られているわけですが、ブローデルの『地中海』のうちに「海から」の視点を読みとることはもちろん可能だろうと思います。川勝さんがおっしゃるように、従来、陸地史観というものが跋扈していたことを考えますと、そのアンチテーゼとして、海洋史観を押し出し、陸地史観を撲滅してしまおうという、それも一つのストラテジーではあります。しかし、ブローデルのこの書物をそのような意味での海洋史観として読むことは、かなりむずかしいと私は思っております。

それで私はこの書物のことも、『地中海』と言わないで、『地中海と地中海世界』と両者を結びつけて呼ぶように心がけているんですが、ブローデルは、第一巻の冒頭でも、海のことから語りはじめない。「はじめに山地ありき」、そういう章ではじめるのです。これは非常に象徴的です。ブローデルは海だけを問題にしたのではない。海を主役にすればいいと思ったのでもない。この作品のなかで地中海という海が非常に大切な役割を演じていることは疑いありませんが、その地中海が陸と海をどうつないでいたかという、まさにその観点でこの書物を書こうとしたのだと思います。そこのところは、この『地中海と地中海世界』という本をおさえるときに、よく気をつけておかなくてはならなくて、両者をどう関連づけて捉えようとしていたかというその仕掛けが、この本の一番魅力的なところであるように思います。

もちろん、さきほど申し上げましたように、この作品からはじまって、ブローデルの関心はぐっとひろがっていきました。そしてたとえば、《économie-monde》というような、ある広域的なまとまりをもった一つの経済圏というようなものを構想していきます。地球上には、そうした「経済＝世界」が、多元的に形成されていたのだということを積極的に言うようになりまして、地中海世界もその一つということになるのですが、そういうところへ踏み出していく過程で、ブローデルは、相互交渉と交換の場としての海そのものに強い関心を向けていきます。

そういうふうに考えますと、本日は『地中海と地中海世界』の完訳のお祝いではありますが、ブローデルの問題関心をその後の展開も含め大きく捉えるということが、他方で重要でありますから、海の視点を強調することに私は反対ではないのですが、『地中海と地中海世界』という書物に即して言えば、むしろ海と陸との関係をどう捉えようとしたかということ、そこのところを見ていく必要があるように思います。

川勝　生活の海という視点に加えて、海と陸との関係に着目した貴重な御発言をいただきました。東南アジアが御専門の石井さんに関連発言をお願いします。

石井　海と陸という問題についてですが、「シルクロード」に対して「海のシルクロード」というのはミスリーディングではないかと以前から思っておりました。というのは、陸の輸送能力は、具体的にはキャラバンですが、船の輸送能力とは格段に違います。桁が三桁ぐらい違う。たとえば、一頭のラクダが一〇〇キロとか二〇〇キロ単位のものしか運べないとすれば、三〇〇トンのものを運ぶには、五〇〇頭とか一〇〇〇頭という単位の大キャラバンを組まなければなりません。もちろん、一〇〇トンとか二〇〇トンぐらいのほうが多いのですが、三〇〇トンの船はめずらしくない。嵩があって安いものはキャラバンでは運べないし、ペイしない。けれども船なら、バラストという形で船を安定させるために運べます。たとえば東南アジアから日本に大量に輸入されたもののなかで一番安いのは染料の材料の蘇木《そぼく》（サパンウッド）です。これなどは東南アジアでは薪のごとく使われていたのではほとんど値段がないんですが、中国や日本に来ると染料になる。それをラクダに積んでいたのではどうにもならない。船ならばバラストに使える。安物の陶磁器のような重いものを運べるわけです。

このように規模があまりにも違うので、「海のシルクロード」という言い方はやはりまずい。船を考える場合、船という輸送手段が流通する品物の内容を変えていくという点が大事なポイントです。三上次男先生がおっしゃったように、「陶磁の道」というようなものので代表させたほうがいいのではないでしょうか。もちろん、唐船でもたくさんの絹が日本に運ばれましたが、船では、絹とは比較にならないぐらい重くて安いものが運べたということが重要です。

「戦争の海」と「平和の海」

石井　つぎに、血なまぐさいレパントの海戦の話も出た一方で、さきほど網野さんが平和の海の話をされましたが、私も平和の海にこだわりたい。

大航海時代とは何であったのか。それは海についての違ったコンセプトがぶつかった時代ではなかったかと思うんです。東南アジアでは、レパントの海戦のような海戦で制海権を争ったことはないのではないでしょうか。インドネシアのブギス人の話などを聞いていると、契約とか、条約とかが重要視されています。そこは互いに約束さえ守れば平和に通商できるという世界だったと思うんです。

ところが、一五一一年にポルトガルは大砲を持ってきた。いままでは契約とか条約とかでやっていたところに大砲を持って来られたら、ひとたまりもありません。従来とは違った論理を持ち込んだことがヨーロッパ人の登場の意味ではなかろうか。それが十六世紀以降で、これはオランダに続いていきます。オランダは相手が言うことをきかないとすぐに大砲を撃った。しかし、さっき言ったアユタヤなどでは、メナム川を武力で封鎖する唐船やペルシャ船はなかったと思います。倭寇などもありますから必ずしも平和ではないのですが、商売をする論理として、大砲があるかないかということはかなり重要です。山内さんの言われるように技術的に未発達で大きな大砲は積めないということもあるのですが、お互いに理解しあいながら、ある約束事を守っていくというのと、武力で制圧するというのとでは、海そのものに対する見方、パラダイムに大きな違いがあるように思います。

家島　いま言われたように、確かに、陸上キャラバンに比べると、船による海上交通の利点は、重量もの、かさばりものを遠隔地に、ダイレクトに輸送可能だということです。ラクダ一頭の運ぶ荷物は一荷、つまりアラビア語でヒムル（himl）という単位であり、これは二八〇キログラムに相当します。現在のダウでは、六〇キログラム入りのナツメヤシの実（ディツ）を一五〇〇袋（約九〇トン）を積載するのが一般的です。二〇〇〇袋積むダウもあります。

川勝　覇権の海に対して生活の海、戦争の海に対して平和の海という対比がでています。この点について、もう少し議論を深めていただきたいと思います。網野さんにお願いします。

網野　皆さんのお話を伺っていて、いくつか感ずるところがありましたが、まず、二宮さんがおっしゃったように、私もブローデルは、さきほども言いましたように、海だけから見ているのではなくて、地中海世界を非常に多角的に取り上げていると思います。同じように日本列島の場合などは、いくらでも多角的な取り上げ方ができるはずで、自分でもやってみたいなと思います。じっさい、桑や麻の生産、牧畜や林業、鉱山や木器生産、それに船大工をふくむ海での活動などを全部総合し、農業ももちろんそのなかの一つとして立体的に歴史像を描けたらどんなにすばらしいかと思います。しかしなかんずく海の問題は、日本列島の場合とくにきわめて重要であるにもかかわらず、これまで陸地史観が強すぎて、あまりにも軽視されてきたと思いますので、あえて川勝さんに便乗させていただいて、もっと徹底して海の問題を考える必要があるということを強調してみたのです。

そのうえで、軍事力としての船、あるいは貿易に携わる船の問題を、日本列島を中心に考えてみますと、どうも日本の場合、海軍が強くなるのは近代以降だと思います。しかも領土を拡張し、「自給自足」の体制を守るために朝鮮半島や中国東北、東南アジアを侵略し、植民地にするという領土国家の論理を貫徹するために海軍がつくられていくわけです。それ以前の日本の海軍はほとんど勝ったことがありません。負けてばかりいます。さきほど、川勝さんが指摘された白村江の戦いも、秀吉の朝鮮侵略の場合も負けています。そして海に即して軍事力として動いている船は、小さいけれども軽快な海賊の船が主力になっており、これが瀬戸内海や列島周辺の海で活動しており、巨大な武装をした軍船は、信長が造ったことがありますけれども、結局、定着はしていません。本格的な軍事力としての船は、近代以降は別として、日本の場合にはあまり発達していないのではないでしょうか。

それからいま、石井さんがふれられた点とも関連して非常に重要なことだと思いますのは、日本の社会では、為替手形が十三世紀後半以降、送料まで一定しているほど安定した流通をしています。備中から京都まで為替手形を送るのに、送料は五〇文、播磨からなら三〇文と決まっているのです。しかし手形が不渡になったり、紛争がおこった場合、どこで処理されるのかと言うと、公権力、国家権力はほとんどかかわっていないと考えられます。おそらくは海を中心とした流通路の商人、金融業者によるネットワークがあり、これには、海賊と言われる武力集団、海の領主がかかわりをもっています。ですから契約に違反したときには、こうした人びとが武力を行使して、これを処理することが行なわれていたと思います。このように海は契約の舞台になっているのです。

これは、海の支配の問題ともかかわりますが、国家権力——ブローデルの言い方によれば、「領土国家の論理」とはまったく異質なつながり方なのではないか、と思います。浜下さんが会社組織は海から形成されるとおっしゃったことにつながる問題だと考えられるのです。日本の社会の場合も、じつはこれまでわれわれが考えていたよりもはるかに商業的・金融的な組織、あるいは産業それ自体が、江戸時代までに発達しており、商業用語は、現代まで中世以来の言葉が使われており、新しい翻訳語が使われていません。相場、先物、仕切、手形、切手など、いろんな言葉がありますが、これはみな中世以前に遡ります。こうした商業用語は、川や海の流通をバックにして形成されてきたと思うので、やはり契約の世界は、海を舞台として、日本列島を中心にしてもかなり成熟していたと考えられます。そしてたぶんこのネットワークは列島を越えていると思います。あるいは秘密結社の組織につながると思います。あるところで金を振り込むと、海を越えてその支払が保証されているようなシステムがありえたと思います。まだ研究はされていないのですが、日本列島のなかでも、悪党、海賊の組織はそうした役割を果たしていたと思います。そしておそらく国際的にもそのような組織がありえたと思うのです。

このように領土国家の論理の延長としての海の支配には、軍事力が必ずつきまとうけれども、本来、海に生きた人たち自身がつくりだそうとする秩序は、ややこだわりますけれども、基本的には平和な契約で、それが破られたときに多少の武力が行使されるという性格の秩序ではなかったか、と思います。海の領主、海賊の本拠地は、海上交通、港を出入する船を見張る関所でもあり、警固所でもあるのです。それ故、見張所に適当な岬や島に城がかまえられます。このような海の城が日本列島にはずいぶんたくさんあるのです。このごろようやく、「海城《うみじろ》」という言葉も定着しはじめたような状況なので、未開拓の問題が非常に多く、わからないことだらけですが、大雑把な見通しとしては、いまふれてきましたように、契約と通商の道という側面で海を捉えていきますと、これまで常識的に捉えられていたのとは大分違った人間の社会の一面を理解することができるのではないかと思います。

「平和の海」としてのインド洋

川勝 「海の歴史」のもつ可能性を「陸の歴史」との対比でわかりやすく御説明いただきありがとうございます。陸地社会の発展については膨大な研究蓄積がありますが、農本主義的立場が主流で、生産力の発展が新しい社会をつくるというのが広く受けいれられている理解のように思います。それに対して、海域世界に発達をもたらすのは何と言っても船であり、船にかかわる技術、航海術であろうと思います。ただ船にせよ技術にせよ、それが海の支配や軍事技術にだけかかわるものではなくて、二宮さんが適切にも指摘されたように、生活の道具としての船を考えることが大切でしょう。

さて、海に対する接触の仕方を分ける二つのコンセプトが出ています。一つは、海の支配という観点です。もう一つは、平和、商業、交易、生活にかかわる海です。この論点は、家島さんのコメントに関係していますので、家島さんからさらに発言を願います。

家島　いまの石井さん、網野さんの話に関連してお話しします。私はとくにアラビア語の史料を使って、インド洋、アラビア海の船の問題、交易の問題をあつかっていますが、不思議なことに、十五世紀末にポルトガル人が喜望岬を回ってインド洋に入ってくる以前において、大きな海戦と言えるような記録史料にほとんど出会わないのです。この事実から一つには、同じ海であっても、地中海とインド洋とはどうも質的に違う海ではないか、と感じているわけです。

十五世紀末のガマの随行員の報告がありますし、またその前後の時期のイタリア人やポルトガル人による記録史料を見ていきますと、いずれも当時のインド洋は多くの交易港が繁栄して、長距離貿易が行なわれ、さまざまなヒト、モノや情報が頻繁に移動・交流している非常に平和な海であって、そうした情況をヨーロッパ人たちはたいへんな驚きをもって見ているわけです。したがって、さきほども私は申しましたが、ポルトガル、スペイン、それに続くイギリス、オランダなどのヨーロッパ人たちは、本来、地中海で生まれた海の支配の論理、これは陸支配から延長された領域支配の論理であって、それを地中海からインド洋まで持ち込んで来た。そこに以前と違った、海の支配をめぐる緊張や対立が十六世紀以後のインド洋に現れたのではないか、と感じます。

アラビア語史料では、海というものは、国家・王権の支配する場ではなく、アーダ（慣習法）と契約関係の支配する自由交流の世界であると説明されています。したがって契約なり慣習法が破られたときに問題が起こり、守られているときには平和な海であったのです。イエメンのアラビア語史料には、フィランジュ（ポルトガル人のこと）はインド洋の慣習法を知らない、慣習法を破ったといったことがしきりに述べられています。海賊という問題も、海峡を通過するときの契約関係や通行税をめぐる対立とかかわっている場合が多いようです。

川勝　網野さんは海を、「支配の海」としてではなく、「平和・交易・交流・商業」の脈絡で捉えるものですが、さしあたってそれは日本を念頭におかれており、家島さんがその見方をインド洋に拡張され、強い援軍を得た感があります。軍事史的観点を前面に出されたオスマン側はどういうふうに対応されますか。

地中海をめぐる覇権と交易

鈴木　それに関連して少しお話ししたいと思います。オスマン朝の海軍の場合も、確かに十五世紀から海軍が少しずつできていきますが、当初は大きな海戦はあまりやっていません。その頃の仮想敵国はジェノヴァとヴェネツィアでした。ジェノヴァは、黒海が一四七〇年代にオスマン朝によって制圧された後は、ほとんど問題にならなくなります。残るのは、ヴェネツィアです。ただ、ヴェネツィアの場合は、確かに重装備の艦隊を持っていますが、艦隊自身が交易に従事するという形で、海賊行為はやらない重装備海軍国家です。したがって、海上路や陸の拠点をめぐってトラブルが起こったときに海戦もついでに起こりはしますが、それは殲滅戦のような海戦にはなりません。地中海が非常に刺々しい海になったはじまりもロードス島にあります。

ロードス島は御承知のように、十四世紀のはじめから聖ヨハネ騎士団が占拠しています。聖ヨハネ騎士団支配下のロードス島というのは、イスラム教徒にとってはキリスト教徒海賊の巣です。聖ヨハネ騎士団は、イスラム教徒の船およびイスラム教徒と交易するキリスト教徒の船を、組織的に襲撃します。しかも集団の掲げている聖戦の論理にしたがって、恒常的に破壊活動をする集団でして、この存在が一番大きな問題だったわけです。オスマン朝にとっての東地中海というのは生活の海でして、とくに地中海の南半を手中にしてからは、エジプトとシリアからの生活物資をいかにして帝都イスタンブルに運ぶかということは、もっとも重要な問題でした。とりわけエジプトの非常に豊かな農産物、および紅海を通じて陸揚げされてエジプトに入り、アレキサンドリア等から船出しされる東方の物産がイスタンブルに入って来ることは、生活と同時に交易の原資が入って来るということで、非常に重要だったわけです。その安全を確保しえていれば、戦争の海にならなかったのかもしれません。しかし、聖ヨハネ騎士団は、その交易の生命線を、常にエーゲ海に入る入口で捕捉して、海賊行為を行なったわけです。そこで、この海賊行為の巣を除くということが、メフメット二世の時代から課題だったわけですが、これは一五二二年に達成されます。

その後、今度は西地中海をめぐる抗争が大きな問題になり、マルタ島攻略が非常に大きな課題となったのも、じつは一五三〇年に、ロードス島を追われて十年近く流浪していた聖ヨハネ騎士団が、カール五世によってマルタ島を与えられて、マルタ島に定着します。そして、ここでまた同じく、組織的な海賊行為をはじめます。これを除かないことには、今度は地中海の東西を結ぶ交易路、これも基本的には生活の物資、交易の物資の動く道ですが、これを確保できないということがあり、抗争が続くということになるわけです。

これから見ると、じつは、石井さんから、問題提起として、ポルトガルがインド洋に入って来たときに、違った原理が入って来たのではないか、それがかつては生活と平和の海であり、しかも私人間の秩序の世界であったインド洋に構造変化をもたらしてしまったのではないか、という御指摘があったわけですが、これともつながってくるかと思われます。

聖ヨハネ騎士団とポルトガルの共通点は何かというと、一方にはレコンキスタにもとづいた十字軍的な情熱、他方には、本物の十字軍以来の十字軍的情熱というものがあります。やはり他者に対する非常にはっきりした恒常的な攻撃を目標とするような宗教的情熱をもった集団が存在しているとき、海の秩序にもかなり大きな変化が出てくるであろうと思われるわけです。

川勝 海の軍事力の話をされた山内さんも「ひと言あり」の御様子ですが（笑）。

山内 一部イスラム史研究者たちの軍国主義的なイメージを払拭するために、一言だけ（笑）。好戦的なイメージを残したまま私が立ち去るというのは忍びないわけで……（笑）。まず、ブローデルについて二宮さんがおっしゃったように、イスラム研究でも同じで、海という対象を歴史的に考えるときに、けっして海を陸と切り離しているわけではありません。陸を考えるときも、海と切り離しているわけではありません。ステップと砂漠と海が連続して考えられなければならないということは、すでにわれわれの認識のなかにあるわけです。遊牧民は、ある時点で、砂漠やステップにだけ棲息しているのではなくて、同時にダウなどを通して、容易に海洋民にもなりうるということがあります。軍事と通商の関係はストレートに切り離されているものではない。平和裡に通商活動に従事している場合に、いかにそこに軍事という機能が発生するかという問題を踏まえて議論をする必要があるのではないかということにふれたかったわけです。

また、ブローデルのような問題関心や意識をわれわれが考えるときに、陸というものはもう意味がないとか、ましてやそこで分析する必要がないというのではなくて、やはり陸上史観それ自体の意義というものも再評価する必要がある。問題は、陸上史観を見直すときの角度だと思います。私どもが関心をもっているようなイスラムの内陸アジアを見る際に、たとえばキャラバンについて考えると、キャラバンは、海という存在との関係や類推でいうと、商船隊に相当する。しかし商船隊は当然、襲ってくる海賊や水軍から自らを守らなければなりませんから、平和なキャラバンであっても、そこにある種の自己武装をしなければならないということもあるわけです。同じように、オアシスという存在は、港、港湾、港市などとのアナロジーで考える必要があると思います。そこでは、多民族あるいは多宗教のコミュニティ等々が共存するというようなことがあったわけですし、現実にそのような舞台なくして内陸貿易や交通は行なわれなかったのです。さらに、ラクダという動物はある意味で、ステップや砂漠という「海」をミズスマシのように遊弋《ゆうよく》する船のようなものです。つまりラクダという物体を船として捉え、オアシスという寄留地を港として捉え、また、ラクダの乗り手、御者というような人びとを水夫あるいは水手《かこ》として捉えていく。

こういった形で、われわれの陸上認識の常識を、逆にもう少し修正していく。こう考えていくと、ブローデルの『地中海』の提起した問題は大きいのです。これについては、さらに詳しくは、さきほども申しましたけれども、十一月十一日（笑）、土曜日に東京大教養学部で、議論をあらためてしたいと思っております。――山内氏退場――

川勝　陸と海とを二つながら一つに捉えるという新しい視点とともに、海に関しても「戦争の海」と「平和の海」を二者択一ではなく、両者をあわせて考えるべきだという見解が出されています。さはさりながら、家島さんの発言などから推すと、地中海には、インド洋と比べて、覇権の海という色彩が濃い。インド洋やシナ海に出現したヨーロッパの商船は大砲をそなえた軍船でもありました。日本の倭寇も軍事的色彩が強い。じっさい、日本では一六〇九年に五百石以上の船が没収され、一六三五年に五百石以上の大船建造禁止令が出されますが、最近の安達裕之さんの研究（『異様の船』平凡社）によれば、対象は安《あ》宅船《たけぶね》です。安宅船は商船であると同時に水軍力になりうるからで、徳川にとって危険分子であった西国大名が軍船を建造・所持するのを禁止したのですが、大事なことは、五百石以上でもジャンクならば買ってもよかったということです。ジャンクは軍船にはならないという理由です。

　そうしますと、シナ海域のジャンクやインド洋のダウをあやつる人びとによる、民族、文化、宗教、言葉の相違をこえた平和裡の交易が一方にある。他方において、日本とヨーロッパの海に対する態度には、二宮さんが言われたように、生活の場としての海、生活の道具としての船を見失ってはならないのですが、世界史的に見ると、軍事的色彩を持つという特徴があるように思います。

ダウについては家島さんから説明がありましたが、浜下さんは、現代の日本人が「東アジア」をイメージするとき日本、中国、朝鮮、ベトナムの陸地部分を考えるけれども、むしろ東シナ海、南シナ海をめぐる海域世界として捉えるべきだと言われましたが、その海域世界を行きかうジャンクが軍事力にならなかった事情について御説明願えますか。

浜下　いま、軍事のお話がありましたが、近い時代まで、東アジアは豊かであったと言いますか、やはり金持ちはけんかしないということで（笑）、中国を中心とした朝貢貿易を通じて域内交易を謳歌していたと思います。そこに何も持たないヨーロッパが入ろうとしたときには、絶えず自分たちの利益を是非とも確保していくことが最優先とされましたから、そこではどの程度当初から戦略的に大航海かどうかはわかりませんが、理念としては、自分たちのこれまでの活動範囲を越えていくときの論理としての軍事であったろうと思います。

海の秩序

浜下　東アジアや東南アジアの海の支配、あるいは軍事問題をふくめ、どのように海の秩序が維持されてきたのかということに、私は関心があります。たとえば、朝貢関係という枠組は、一方では重商主義的に交易の利益を中央財政に吸収する形をとりながら、海を跨った両側の地域の交易に利益を分配したと言いますか、持てる中国が周辺地域に対して、ある程度、双務的な交易関係を保障してきた歴史であり、それが長いあいだ機能していたわけです。その考え方としては、問題が起こったときに、武力を直ちに用いるのではなく、武はできるだけ前面に出さないという考え方、いわゆる宗主権的な手段を用いて、その下に置こうとする考え方であったろうと思います。むしろ、文により武をどうコントロールするかということが、中国史のなかで、非常に長い歴史があり、もちろん武がないわけではないのですが、武の管理に強力に政治が介入しています。その政治の介入のしかたが、たとえば日本の歴史などを見るとそれがないがために、武がそれ自身動きだしてしまう。しかし、中国では違うわけです。この政治介入の問題は、さきほど、私は媽祖に対する爵位の授与例で申しましたが、権力が非常に強くそれによって服従を強制する、というイメージよりも、むしろローカルな文脈に乗る形で権力が機能する。しかも、より超越的な理念を用いて、たとえば「華」の理念とか、「礼」とか「徳」とか、そういうもので統治しようとします。

ですから、スペイン、ポルトガルの帝国という広域統治の場合に、またオスマン帝国やムガール帝国の場合もまた、帝国統治の理念が同じか否かということと関係すると思うのですけれども、武の論理を出す前に、政治交渉の論理が重視されることが特徴的ではないかという感じがいたします。

川勝 アユタヤは通商国家であったわけですが、通商国家における武をコントロールするルールのようなものについて、石井さんに御説明いただけるでしょうか。

石井 いまの浜下さんのお話、非常に面白いと思ったんです。これはアユタヤと中国の関係のように、中国が中心で、その周りに夷《い》がいるというスタイルで、中国と通商するときはすべて朝貢の論理が貫徹するわけです。しかもそれは、たとえば沖縄がタイ、あるいはパレンバンと交渉するときも、その一つの系として、同じように漢文の文章でやりとりをするという状況がある。その意味では、武を抑えるための一つの全体性をもった朝貢体制というか、理念体系、華夷秩序がある。

それはとくに東アジアの場合には役に立ったと思うんです。タイから中国に朝貢し商売をするときに、中国のしきたりにしたがって、きちっとした漢文を操作できる技術者を雇っているわけです。琉球の場合には、閩人《びん》三十六姓なんていう形で中国人が出てきますが、そういう外交用語としての漢文をマスターしている人を技術者として雇って、中国のしきたりに従った形での文書が中国に行くわけです。しかしそれと同時に、注目したいのは、タイ語でもって、これは中国では金葉表《きんようひょう》と呼ばれ、タイ語ではスパナバットと言いますが、金版にタイ文字で彫っているものを送るわけです。タイの国王は中国語が読めませんから、金葉表のほうを見ます。そうすると、そこにはタイの論理が貫徹しているわけで、べつに中国の属国でもなんでもない。そういう一つの二重構造があるわけです。

こうした状況は、面白いことに十九世紀まで続きます。一八五五年にはバウリング条約という、タイが西欧と結んだ最初の近代的な友好通商条約ができますが、これを従来の研究では英語のテキストで議論をしていました。私はこれと前後して一八五五年から一八五六年にかけて西欧列強とのあいだに結ばれた「バウリング条約」、「タウンゼント・ハリス条約」、「ドモンティニー条約」という三つの条約のタイ語テキストを、それぞれ英語、フランス語テキストと比較してみたのです。すると、フランス語は別ですが、英語はタイ語テキストと全然内容が違うことがわかりました。実質的には同じといってもいいのですが、形式がまったく違う。つまり「ヴィクトリア女王とタイの国王は――もっとも当時タイには二人の国王がいましたので、第一国王と第二国王は――こう同意した」とある英語が、タイ語では「ヴィクトリア女王がこれこれこう言ってきたことをこう答えた。こう頼んできたのでこれを許した」となっているのです。そこには近代的条約の原則である相互主義の相の字もない。一方、英語の方では相互主義が完全に貫徹されているのです。それぞれ言語が違っていて、中間のものを考えないとお互い理解できないということを前提として、しかしそこにある秩序が保たれていさえすればそれでいいではないか。こういうのがタイ人の態度です。だから、漢文の文書も準備してあるし中国の立場からすれば華夷秩序がきちんと保たれて満足している。一方、タイの王様にとってはどうせ読めない漢文などどうでもいい。言うなれば入場券みたいなものです。タイ人の論理は金葉表というタイ語の文書を出すことで貫徹されている。これでいいではないかという訳です。こうした状況がかなり後まで続いていることを非常に面白いと思っております。

川勝　東南アジアにまで及ぶシナ海域をめぐる海の秩序について、お二人から話していただきました。地中海の場合はいかがでしょうか。

鈴木　やはり地中海世界でも、この時代はちょうどキャピチュレーションと言われる体制が確立してくる時代ですが、これも、ただいまの石井さんのアユタヤのケースと非常に似たところがあります。イスラム法上、異教徒と戦争をやっていないときに、異教徒の世界に住む異教徒とイスラム世界にいるムスリムが交渉するルールがあり、そのルールはかなり厳格にイスラム法で規定されています。そして、この条件を緩和することを、各地の支配者は交易を振興するためにやっていました。その際には、基本的にはムスリム側が、恩恵として、ある特定の異教徒に対してある特権を与える、という形をとります。対等条約で特権を勝ち得たというようなものではありません。オスマン朝でも、勅令に非常に近い形をとっています。

ところがその場合、たいがい正文が二つあり、オスマン朝との場合ですと、トルコ語の正文とフランス語やイタリア語の正文があることもありますが、正文を両方が取り交わすという習慣はないので、自分の言葉の正文が正文だと思っています。オスマン朝のスルタンのほうは、ヴェネツィアの異教徒どもの頭《かしら》にこれこれの特権を与えてやったと思っているのに対し、向こうは、オスマン朝と条約によってこれこれの特権を得たと思っています。フランスとの場合もそういうところがあります。

とくにフランスの場合は、一五三五年にフランスとオスマン朝とが対等条約を結んだということになっていまして、これがいわゆるキャピチュレーションのはじめだと言われています。ところが、オスマン側にはその正文は一つも残っておりません。それからフランス側でも、じつはその正文は公文書館に残っていません。当時の大使の所蔵していた文書類のなかに、フランス文の正文と称するものがあり、これが後に見つかり、疑われることなく、オスマン朝とのあいだで成立した条約の正文だと思われてきたのです。そのなかでは、確かに対等の形をとっていますが、一五三五年前後というのは、オスマン朝中央の政局が微妙なときで、この条約がスルタンのもとまで行って、その承認を受けて、本当に成立したのかどうかわからないところがあります。いま、アナール派をはじめフランスの研究者たちのあいだで論争をやっていますが、まだ決着がついていません。

ですから、外交関係では言語は、二つの言語があり、あまり細かいことを気にしなければ、本当は平和にいくところがありまして（笑）、じっさい、商売についてはかなりきちんとやる規定ができています。海賊の取締りの規定もヴェネツィアとのあいだにもできています。そういうもので、かなりの秩序は保て、それが事々しく問題になるような事態になってくると、紛争の種になるということがあったかと思います。この点は、東アジアでも非常によく似たケースがあるかと思います。

川勝　インド洋世界については、家島さんは多重多層という特徴づけをなさいましたが、海の秩序ないしルールについてはいかがですか。

家島　いまのお話の方向は、結局、陸の国家と異なる海のルールと言いますか、秩序があったかどうか、海の秩序とは何ぞやということだと思うんです。やはり海の秩序を考える場合、港の機能と役割について、港そのもののもっている意味を、さらに十分に研究していく必要があります。この点はまだ未研究の分野なのです。

港には、さきほど私が申したように、いろいろなところから多様な人間が集まって来る。民族、集団も違うし、宗教、世界観も違う人間が集まる多重多層の世界である。そうした非常にコスモポリタンな、海を共有している人の集合するコスモス（小宇宙）としての港である。しかも港は一つでは成立しえず、港の連鎖、つまりネットワークの結節点（ノード）が多数連なり、そして一つの全体としての海域が成立している。港は情報の集まるセンターであり、常に海域全体を監視する役割もしていたと考えられます。

ですから、港には海や船のことを裁く海の法廷――一般には「海の家（バイト・アルバフル）」と呼ばれた――があり、港社会を統轄するシャーバンダルがいた。ペルシャ語で、「シャー」は王様のこと、「バンダル」というのは港のことです。つまり、「港の王」の意味であり、これはよく「港務長」と訳されますが、本来は、港に住むさまざまな人びと、多重社会をまとめる指導者、長であり、それぞれの自治組織を総合的に統轄する長官、代表者の役割、これがシャーバンダルです。これはアミール、マルズバーンとか商人王と呼ばれることもありました。十四世紀半ば以後の時代には次第に意味が変わってきて、もっぱら税務関係の役人となりました。金融、商売や海で起こった諸々の事件、紛争などは、港の法廷で処理されていたものと思われます。いま私は、それらに関連する史料を集めて、分析しているところです。

「無主の海」と市場の発達

川勝　いま述べていただいたような海のルールのもとに商業・交易が発達したのですが、海における経済ないし生活の発達の論理について、論じていただきたいと思います。普通、わが国の西洋経済史研究でヨーロッパ・モデルとされている市場経済発展論、ないし農本主義的な市場経済論によれば、土地所有を基礎にしてはじめて、本来の市場経済が機能するというように説明されます。その発想は根深いものです。かつての日本資本主義論争は、明治維新の地租改正で近代的土地所有が確立したから、日本は近代社会になったと主張する議論と、まだ地租改正後も各地に現物納が残っているから封建的だと主張する議論との争いでした。土地所有権というのは決定的なわけです。そうなると、「無主」の場所すなわちだれも所有しない海における市場経済の成熟について論じるというのは、これまでの近代的土地所有を前提にすえた市場経済論に対するアンチテーゼを含んでいるものなのでしょうか。網野さんの発言をお願いします。

網野　たいへん重大な問題でございますが、私は、川勝さんがおっしゃった方向で最近は考えております。いままで、資本主義の発達は、やはり土地所有から出発しており、農業の生産力が発達するとともに、はじめて商業、手工業が農業から分離する。そして商品経済が農村に浸透して、その結果、農民層が貧富に分解していく。その過程で、地域的な市場圏が展開して資本主義が発達していく。だいたいこういう筋書きだったと思うのですが、私は、もはやこの見方はそのままでは成り立たないのではないかと思っています。

というのは、さきほども申しましたように、商業はとくに農業生産力の発展とはかかわりなしに、農業が行なわれていなくても展開しています。じっさい、商業は人類とともに古く、貨幣も資本も古い時代から機能しており、史実に即して見ると、この議論は成り立ちません。そういう議論にだけ乗っていたために、たとえば、戦後の農地改革にしても、本来、百姓や地主は農業だけをやっていたわけではなく、さまざまな生業にかかわっていたのですが、百姓を農民と思いこんでいたことも手伝って、そうした多様な生業を視野の外において行なわれたため、たとえば山林に関して、農地改革はこれを視野に入れていませんでした。だから事実として山林は解放されないという結果を生んだわけです。これを見ても、いままでの定式化した議論がもはや成り立たないことは明らかだと思います。

そのうえで、私の自己流で叱られるかもしれませんが、市場は無主の場所にはじめて成立します。これは原理的に見て事実だと思います。その意味で海の世界は、資本主義、市場経済を育てる、非常に重要な基盤になっていく一面のあることは間違いないと思いますが、いままでほとんどそういう観点からの研究は行なわれてこなかったと思います。

また逆に、さきほど、海の平和を強調したのですが、無主の世界は「無秩序」に陥る危険性を持つというもう一つの側面も、われわれはあわせて考えなければならないというのが現状なのではないかと思います。無主の世界の持つこの矛盾した側面をさらにどのようにのりこえていくかが問題なのだと思います。ここで、ちょっと細かいことになりますが、さきほど、石井さんがふれられた倭寇についてふれてみますと、じつは倭寇という言い方は、「領土国家」の側からつけた名称なのです。最近の田中健夫さんや高橋公明さんの御研究によって明らかにされていますが、「倭寇」の実態は朝鮮半島南部と済州島、西北九州あたりの海の領主、商人たちが海を舞台に形成した商業交易のネットワークで、それが領土国家の原理とぶつかると、衝突が起こり、倭寇、海賊と言われたのだと思います。また、「倭寇」を支えた海の領主は、馬とも不可分の結びつきを持っておりまして、馬を船に乗せて朝鮮半島に行くわけです。牧と海、馬と船とは深いかかわりを持っていたことは確実です。そういう意味で、総合的にものを考える道を開いていく必要があるので、海に視点を置くと、これまでと違ったいろいろなものが見えてくるのではないかと思います。

もとより私は、農業を低く評価する気持は毛頭持っておりませんけれども、あるべき位置に農業を置き、また当然あるべき比重を持ったものとして非農業を置いたうえで、市場経済や資本主義、さらに封建社会について根本から考え直してみる必要があると思います。封建社会という概念それ自身が、もはやいままでのような規定では成り立たなくなっているわけで、時代区分や社会構成の問題をもう一度考え直すべき時期に、現在は来ていると思うのですが、その際、やはり海や川の世界、あるいは山の世界を十分に考慮に入れて、これまでとは違った世界史の理論、人類社会の発展の理論を考えなければならないと思っています。

再び「海からの歴史」の発想へ

川勝　海と市場経済の発達との関係について示唆に富んだ新しい眼を提供していただき、ありがとうございます。これに関連した発言をお願いします。

浜下　直接的に海と市場経済というテーマではないのですが、網野さんのお話に触発されまして、もう一歩それを、たとえば歴史の見方とか、歴史観とか歴史像というところに結びつけて考えたときに、たとえば、歴史が発展していくという、いわゆる発展史観という形で言われてきた問題の再検討をふくめ、歴史をどのような見方で考えるかということに、このテーマは直接につながっていくように思います。これまでは、陸を中心として、ものを作るということを中心として、歴史観がつくられてきた。したがって、その拡大が歴史の発展である、と。しかしもし、無主の市場、あるいは海という視点から経済社会問題を考えるということは、たとえば資源が地域的にどのようなバランスを以て配分されるのかという点を優先的に考えるなど、地域秩序の安定、あるいは地域秩序のダイナミズムに基づいて、どのような歴史像が考えられるかという、一つの歴史像に対する問題提起を可能にするのではないかと思います。

地域秩序のバランスを具体的に考える場合に、二宮さんが、ブローデルは統計を入れたという点を指摘なさったことはたいへん示唆に富むお話だと思います。私たちは、因果関係で論ずることができる歴史の範囲が狭まってきますと、量的かつ統計的な、共通に比較可能とされる部分でも議論をすることになると思います。けれども、その場合の前提として、統計すなわちスタティスティックスという概念自体がステートという枠組から出ていますように、与えられている統計が、国ベースということでありましたら、そこには地域の実態認識とのあいだにすれ違いが起こるわけです。地域秩序の構成あるいは変化、安定ということをめぐる資源の動き、あるいは人の動き、かねの動きということについて、統計的な枠組を変えて、たとえば、海域ということで考えるならば、海域をめぐる地域が一つの地域秩序を保つと仮定し、そこにどのような合理的な資源の配分とか、あるいは物の動きとか、人の動きが組み込まれているのかを統計的に明らかにする、という課題が出てくるように思います。このような視点からも市場問題に接近できる訳です。

同時にブローデルは、これは山内さんがおっしゃったことでもあったわけですが、最終的にフランスのアイデンティティを明らかにする方向を示しています。その議論の過程で、都市の統計とか、それからもう少し広く、ある地域を統計的に示すという形で、多様な角度から、複合的な一つの地域像を出している。しかもそれが歴史研究のアイデンティティにもつながっていることを考えますと、歴史的アイデンティティの追究が地域的アイデンティティとして、量的な検討も含めて試みられていると思います。その意味で、ブローデルが中心から分析するだけではなくて、むしろ地中海というひろがりを周辺的に捉えるなかで、そこからまた議論を導き起こそうとしたという発想から、さまざまに問題を導き出すことができるのではないかという印象を強くもちました。

川勝　ウォーラーステインに *Unthinking Social Science* という論文集(『脱＝社会科学』藤原書店)がありますが、そこでの主張は、いま御指摘がありましたように、社会科学が国家(ステイト)を前提にしてつくられているから、その前提にまで立ち返り、その前提を批判的に検討することから、すなわち出発点から社会科学を考え直そうということですね。社会科学の新しい構築の必要性が訴えられており、それは新しい地域学を生む可能性があり、新しい世界観に道を開くものであろうと思います。浜下さんの御発言は、そのきっかけが「海から考える」ということのうちに見出されるだろうという提言として受け止めたいと思います。

海と文化

川勝　さて、そろそろ残り時間がなくなってまいりましたので、海と文化との関係を最後のトピックにしたいと思いますが、それに関連して、会場から質問が一つ、網野さんにきています。それは日本列島における生活文化なかんずく食文化の東西比較をすると、西の文化たとえば紀伊半島などは海の文化に帰着すると思うが、どう思われるかという内容です。

通常、市場経済が発達すると、安い物が買われ、同じような生活様式が一元的にひろがるというような見方がされます。しかし、実態はそうではなく、家島さんが「多重多層」と言われましたが、海の世界は多元的のようです。これは陸の世界でも同じでしょう。それは異なる文化ないし文明のアイデンティティにかかわる問題だと思います。

網野　私への御質問について一言、お答えしておきます。西日本のみならず、日本列島の社会全体が海の食文化に支えられていると言ってもよいと思います。たとえば、昆布の流れを見ておりますと、北からの昆布の流れは沖縄まで行き、中国にまで流れていきます。そこから沖縄が一番昆布の消費量が多いという、食文化のうえできわめて興味深い事態も現れるわけです。昆布は、十四世紀の末には、岡山県の山のなかの市場でも売られているぐらい、大量に北から西に流れ込んでいる食品です。そうした人と物の流れのなかで紀伊半島の人びとは、西は五島から対馬まで、東は関東、東北から北海道、サハリンまで動いており、海の世界の動きのなかで中心的な役割を果たしていると思います。

また、浜下さんが指摘されたことは非常に重大な問題点だと思います。いままでは物を作るほう、農業や工業生産だけですべてを考えてきたわけです。たとえば農業に比べれば、狩猟、漁業は遅れているという見方が根本にあって、そこから漁撈、交易をしているアイヌに農業を強制するという論理が出てくるわけですが、アイヌの民族生活はこの農業の強制によって破壊されてしまうのです。このように、農業・工業の発展のみに進歩を見出す見方からは重大なものが切り落とされています。このような、これまでの生産力史観から切り落とされてきた世界、世俗的には敗者の世界かもしれませんけれども――さきほど落ちこぼれと言いましたが――、そうした落ちこぼれのほうから、あらためて問題を考えてみたときに、はじめてそれで人間社会の全体が捉えられることになるのではないかと思いました。一言、余計なことを申しました。

二宮 今日の参加者のなかでは、ヨーロッパを専門にやっておりますのは私だけで、キリスト教ヨーロッパはだいぶ分が悪いんですが(笑)、所有権とか主権とかということを言い立てまして、平和な海を乱しているようであります(笑)。このような問題についてブローデル自身がどこまで考えていたかは、確実なところを判断する材料を持ちませんが、今日の議論を伺っていますと、家島さんの「海域」のお考えにしましても、それから浜下さんが、東アジアの「域圏」というものを考えていらっしゃる、そういう発想にしましても、ブローデルが一つの手がかりになっていて、ずいぶん遠いところまでブローデルの問題観がひろがってきているなということを強く感じた次第です。今日は、ヨーロッパ史研究が、一番旧派になっているかもしれないと思うぐらいに、他の領域で新鮮な発想展開がされているように思いました。そういう意味で、「海から」という視点を立てられたこと自体、非常に積極的な意義があったと思います。

ところで、最後にもう一度、『地中海と地中海世界』のところへ戻って考えますと、これは鈴木さんが見事におっしゃったように、非常に微視的に、一つひとつ具体的な事例を掘りおこしながら、あの壮大な世界を組み立てているんですね。その際ブローデルは、着色ガラスの一片一片を見事に組み立てて全体のモザイク画を作り上げているわけですが、こうした大きな見取図は、もちろん、史料を読んでいけばそれがおのずと出てくるものではまったくないわけです。

そこで、歴史叙述におけるプロットの問題という、最近おおいに議論をされている問題が生じます。ブローデルのあの物語《ナラティヴ》を支えているプロットは一体何なのかという、そこのところです。山内さんがいらっしゃらなくて残念なのですが、山内さんは、ブローデルのあの物語を支えているのは、ヨーロッパ・パトリオティズムではないかと示唆されたように思います。あの作品のなかにはいろいろな問題があって、たとえば個々の事実のレベルで、イスラム世界あるいはオスマン帝国の具体的な記述が誤っているとかいう点については、当時の研究の限界に由来するデータ不足ということもあり、もっと研究が進んだ段階で書けば、より正確な事実を書いただろうと思われます。しかし、全体の物語を支えている筋立て、あの『地中海と地中海世界』を組み立てているプロットは一体何なのかということは、それとは別のレベルの問題で、今日はもうそれを本格的に議論をする余裕はないのですが、ブローデルの書物がすばらしい研究だということは、それはそれとしまして、彼のプロットの問題を、日本でももう少し考える必要があるだろうと思います。

ブローデルという歴史家は狭い意味でのヨーロッパの枠組を脱しようとしたし、また脱することのできた人でもあると思うのですが、それにもかかわらず、山内さんが指摘されたようなことが当然ある。そこのところをもう一度、あの作品を読むときに要《かなめ》の問題として考えていく必要があるでしょう。

それからもう一つ、これまたプロットにかかわらぬものでもないのですが、ブローデルは地中海世界という問題を立てて、一つの歴史的世界を描いてみせたわけですけれども、川勝さんが基調報告でおっしゃったように、同じ地中海世界と言っても、古典古代の舞台となった地中海世界、それが中世ヨーロッパで転換して、それがもう一度、十六世紀に奪回される。しかもその世界は、やがて大西洋を中心とする世界に主導権を奪われるのみでなく、歴史的世界としての一体性をも喪失してしまうという、そういう流れのなかで地中海世界を考えるのかどうか。ブローデルにそういうつもりがあったのかどうか。確かにあの作品の最後では、大西洋に優位を奪われていく地中海世界の末路のようなところが示唆はされているのですが、ブローデルは他方で、歴史を超えた地中海世界にたいへん愛着をもっていて、あの世界に生きていた人たちのことを、とにかく理解したい、それを描きだしたいという気持ちが強くあったように思います。

彼は時に、『地中海と地中海世界』を「あれは過去の本だ。他人の本のような気がする」

とまで言いましたけれども、じつは彼自身、その後、ヴェネツィア論を書きましたり、他の人びとと一緒に地中海についての美しい書物を出しましたり、地中海には愛着の念を一貫して表明してきたように思います。先にふれました、彼の最後のフランスでのシンポジウムでは、地中海世界、資本主義、フランスのアイデンティティというブローデルの世界を支える三つの柱を中心に議論をしましたが、その最初の地中海世界を論ずるにあたって、彼は、考古学者を呼んできて先史時代にも地中海に一体性があったかと問い、さらには現代についても地中海の重要性といった問題をもう一度取り上げて考えてみようとしました。

こう見てきますと、ブローデルは、歴史のうえでいろいろ役割が変わり変化してきたには違いないけれども、地中海世界には、歴史を超えてとまでは言わないにしても、それこそ長大な時間を生き続けてきた、人びとの共通の絆、共通の文明があるというふうに考えたがっていたようにも思えます。ヨーロッパあるいは世界の歴史を考えるときに、中心は動いていったのであり、それに応じて地域の枠組も変わってくるという考え方をする場合と、ある地域を一貫して一つのまとまりとして、「長期的持続」の相において考えようとするのとでは、歴史家のスタンスの問題として、かなり違ったところがあります。この点も彼のプロットを支えているものが何かというときに、もう一つおさえておく必要があるのではないか、と思いました。インド洋や東アジアといった「海域」や「域圏」を問題にするときにも、同様の問題が生じてくるでしょう。

今日は、ヨーロッパ史研究者としては学ぶことばかりで、折角の議論に貢献できませんでしたが、いろいろと貴重な示唆をいただきありがとうございました。

「海の歴史」——豊饒なる研究領域

川勝 ヨーロッパのアイデンティティにかかわる壮大な問題提起が幕切れ寸前に出てまいりました。弥々佳境に入った感があり興奮していますが、まことに残念ながら、はや時間が切れました。ブローデル『地中海』を読むことのおもしろさは、このような深い読みを可能にすることでしょう。最後に一言申し上げ、結びといたします。
地中海の原題はフランス語でも英語でも同じで、*The Mediterranean and the Mediterranean World in the Age of Philip II* ですが、これを正確に訳す場合、「地中海と、フェリーペ二世時代の地中海世界」なのか、それとも「フェリーペ二世時代」が「地中海と地中海世界」の二語にかかり「フェリーペ二世時代の地中海・地中海世界」なのか、どちらが正しいのかを、いつぞや訳者の浜名さんと二宮さんにお訊きしたところ、たちどころに後者が正しいと明言されました。ブローデルは「地中海」という海だけを独立させて考えていたのではないということです。同書冒頭の第一節が「まず初めに山地」であるという先ほどの御指摘とあわせて考えるならば、海を陸とをあわせて「海の歴史」を構想すべきだという見解は説得力のあるものです。

フェリーペ二世は強大な権力をもった人でしたが、ブローデル『地中海』の一番最後は彼の死で終わっています。「一五九八年九月十三日、フェリーペ二世はエル・エスコリアル宮殿で亡くなる。……この君主にとって、地中海という言葉は、一揃いの明確な大問題を意味したことも、明晰に構想された一つの政策の枠組みを意味したこともなかった、私はそう思う。真の意味での地理学は、帝王学の外にある。一五九八年九月に終止符を打たれたあの長きにわたる断末魔の苦しみは、地中海の歴史に属する大きな出来事ではない。そう考えるに十分な理由は山とあるのだ」と結ばれています。帝王学の外にあるのが「地中海・地中海世界」だとはっきり言っていることからして、ブローデルの狙いがフェリーペ二世自体でないことは明瞭であり、彼の究極の狙いを捉えるうえで、いまの二宮さんのお話はきわめて意味深いものです。

ところで、本日ここにおそろいの先生方は、まことに失礼ながら、帝王学からはもっとも遠い、帝王学からみればほとんど落ちこぼれといっていい方々ではないかと思うのであります(笑)。正統派の歴史学ないし日本の従来の歴史学の主流には身をおかず、言わばその周縁あるいは辺境にいて、自由な発想で独自の歴史学をたてられています。そのようなすばらしい先生方にいざなわれて、ブローデル『地中海』を大きな柱としながら、豊饒なる「海からの歴史」を、皆様方と御一緒に楽しむことができました。ただ感謝の一語に尽きます。先生方には厚く御礼を申し上げます。会場の皆様には最後までご静聴をたまわり、ありがとうございました。（拍手）

エピローグ

多様なるものの全体像を求めて

川勝平太

本書に眼を通された読者のなかには、百姓＝農民という通念が誤りだという網野善彦氏の主張や、シナ海は中国人の庭のようなものだという浜下武志氏の発言に、きついパンチをくらったり、眼からウロコの落ちる思いをした方もいるにちがいない。これらの発言は、市場経済と非農業民との深い結び付きを示唆し、海と人間社会とのかかわりへの自覚を迫るものである。

ブローデル『地中海』は、歴史の理解に海の役割を踏まえることが重要であることを教えている。本書に参加された学者もまた、各々の仕事を通して、海を歴史学の視野にいれることの大切さを説かれてきた。石井米雄氏が、東南アジアを理解するのに、大陸部だけ研究して行きづまり、ブローデル『地中海』との出会いに勢いづけられて、港市政体（国家）論に活路を見出された研究生活を振り返られているが、それは『地中海』の意義を物語るとともに、今後の実り豊かな歴史研究の方向が奈辺にあるかを示すエピソードでもあろう。

『地中海』や本書で論じられたさまざまな事実や構想を通して、海と人間社会、とくに海と市場経済の発達との関係は、やがてそれを理論化し体系化するべき段階を迎えるであろう。現在はその前夜だという予感がある。一方、すでに旧来の資本主義発達史の理論は生命力を喪失しているように思われる。この点を若干敷衍して、結びにかえたい。

日本において、資本主義発達史を研究する理論が誕生したのは一九三〇年代の日本資本主義論争である。その影響ならびに成果は小さくない。なかでも山田盛太郎氏の『日本資本主義分析』（岩波書店）ならびに宇野弘蔵氏の原理論・段階論・現状分析からなるいわゆる宇野理論は、そのなかの金字塔であるといえよう。

日本資本主義論争の当事者が立脚した理論は主にマルクスの『資本論』（第一巻、一八六七年）であった。『資本論』はイギリス経済を理論的・実証的・長期的（歴史的）に分析した書物である。それゆえ、イギリス資本主義研究は特段の意義をもち、次第に独立した分野になった。だが、その研究はもっぱら国内に向けて発信され、外国の学界との意思疎通を欠いていた。たとえば、イギリス経済史の専門家集団のいるイギリスの Economic History Society（経済史学会）との交流があったわけではないのである。日本におけるイギリス資本主義研究は、極論すれば、日本資本主義分析に、分析基準を提供する補助学であったといえる。その代表格は農村起源のヨーマンリー（中産的生産者層）が産業革命の担い手であったとする大塚久雄『近代欧洲経済史序説』（岩波書店）である。

「先進国は後進国の未来像を示す」という『資本論』の序文の命題を信じるならば、イギリス資本主義は、先行モデルとして、日本を理解する比較基準になるという意味があったわけだ。イギリス資本主義を鏡にして日本社会の近代化の遅れや歪みが論じられたのである。『大塚久雄著作集』（岩波書店）が今日なお一読に値するのは、イギリス資本主義を知る手段としてよりも、一九二〇—六〇年代に日本資本主義がかかえていた課題（国民生産力の形成、農村の近代化）を知る手がかりとしてである。大塚史学は、日本資本主義発達史の方法論としての役割をにない、大塚史学に代表される日本のイギリス資本主義研究は、日本資本主義分析の一分野であったと総括しうる。

しかし、今日では、大塚史学は日本資本主義分析、東アジア資本主義分析の方法論としての意義を喪失したといわなければならない。一人当たりの国民所得が、植民地の香港のそれを下回っているイギリスの国民生産力の形成過程を、それが世界第一位の日本資本主義の分析基準にすえるのは無意味である。また生産力至上主義は、環境問題一つに照らしても、問題をはらんでいる。

それだけではない。大塚氏によって近代人のモデルとされてきた人間類型にも問題がある。ダニエル・デフォー（一六六〇―一七三一年）『ロビンソン・クルーソー』（原著一七一九年、岩波文庫、上・下）の主人公ロビンソン・クルーソーは、大塚久雄『社会科学における人間』（岩波新書）、『近代化の人間的基礎』（筑摩叢書）などによって、十八世紀イギリスの中産的生産者層の理念の体現者であり、近代的人間類型の理念型だと説明されてきた。大塚氏は『社会科学における人間』において、ロビンソン・クルーソーの生活をこう描かれている。

「住居を作る。そして、その住居の周りを木立で囲む。また、その住居にくっつけて仕事場を設け、そこで山羊の皮を使って衣服や帽子や日傘を、また陶器などを作ります。それから、そういう住居のための囲い込み地のほかにも、柵でもって土地を囲い込み、いくつかの囲い込み地を作る。そして、ある囲い込み地は小麦畑にして、船で見つけてきた小麦を蒔きます。収穫は一部を種子として残し、あとは消費にあてます。それからまた別の囲い込み地は牧場にして、野生の山羊を捕えてきて、そこで増殖させ、その一部を必要に応じて屠殺します。そして、その肉を自分で作った陶器の鍋でシチューにして舌鼓をうちますし、その皮を剝いで衣服や帽子や日傘の材料にします」。

この整理に見られるように、大塚氏のクルーソー像は内陸に住む人間（農民、農産物加工業者）の姿を捉えたものである。しかし、クルーソーは、農民というよりは、むしろ船乗りであったというほうが正確であろう。クルーソーは（デフォーによれば）一六三二年生まれのイギリス人、二十歳で船乗りになり、捕まってアラブの奴隷となり、そこを逃げ出して、ブラジルに渡ってプランテーション経営に成功した。一六五九年に、プランター仲間に船乗りの経験を見込まれて、奴隷購入のためにアフリカに赴く途次で難破したのである。難破場所は空想の地ではない。そのことは、クルーソーの船が、北緯七度二十二分の地点に達した所で暴風雨に襲われ、北緯十一度、オリノコ川の北に達し、そこからバルバドス島をめざし、北緯十二度十八分の地点にさしかかったときに第二の暴風雨に見舞われて難破し、無人島に流れついた、というようなきわめて具体的なデフォーの叙述からして明瞭である。難破した日は一六五九年九月三十日とある。それから二八年二か月一九日間におよぶ孤島生活が続いたのである。このようなクルーソーの人生遍歴は「中産的生産者層」というよりは、むしろ当時の海外植民者の典型的な姿を彷彿させるものである。

そうした人間類型を生み出した背景を瞥見しておこう。一四九二年にイベリア半島から追い出されたイスラム教徒(ムーア人)は、バルバリア海賊となり、最初はスペイン南岸、後には地中海全域でキリスト教徒を攻撃し、フランスに根拠地を占領されるまで地中海を荒らし回った。一四九四年のトルデシリャス条約で、西半球はスペイン領、東半球はポルトガル領に分割され、スペインはカリブ海を「スペインの海(the Spanish Main)」として他国の侵犯を認めなかったが、両国の取り決めを他の諸国が認めたわけではなく、特にプロテスタント諸国は公式の拿捕状をもってスペイン船を略奪した。それがカリブ海を海賊の巣窟にした。バーソロミュー・ロバーツ、ヘンリー・モーガン、フランシス・ロロノア、ベンジャミン・ホーニゴールド、エドワード・ティーチ、キャリコ・ジャックことジョン・ラッカム、女海賊のアン・ボニー、マリー・リードなど悪名を馳せた海の猛者が出現した。「スペインの海」では、フランスとイギリスが進出してくる十七世紀前半以降、特にスペイン継承戦争(一七〇一—一四年)が終結すると、軍事行動に従事していた海商が失業して、続々と海賊に転じた。しかし、海賊は一七一七年九月の海賊停止法によって、翌一八年九月までの向こう一年間の間に降伏すれば罪に問わない、という英国王ジョージ一世の宣言によって続々と降伏し、その後は目立たなくなった。デフォーの『ロビンソン・クルーソー』はまさにその直後に書かれている。それは本格的な西インド諸島への植民活動の前夜にあたっているのである。

クルーソーの物語の舞台となる孤島について、デフォーは島の名前を明かさない。だが、他の地名は書いており、孤島がどこか示唆されている。クルーソーはフライデーとの対話から、遠くに見える島は「トリニダードだ」（岩波文庫版、上、二八八頁）と知るが、トリニダードの島影を見ることのできる島は、トバゴ島である（私はそれを我が眼で確かめに行った）。トバゴ島とトリニダード島は、カリブ海の東南端、南米大陸に接するあたりに浮かんでいる。フライデーとは、周知のように、島での生活二四年目、野蛮人の一団が二人の男を食うために連れて島に上陸し、一人が殺され、クルーソーは残る一人を助けたのであるが、それが金曜日であったので、クルーソーがフライデーと名づけたカリブの青年である。クルーソーはフライデーに英語と聖書を教え、フライデーはそれをよく習得した。だが、クルーソーの方はフライデーの言葉を単語ひとつ学ぼうとはしない。この対比はクルーソーの人格をはかるうえで決定的であろう。デフォーのトバゴ島に関する記述の情報源が、船乗りのJ・ポインツの著作『トバゴ島の現況』（*The Present Prospect of the Famous and Fertile Island of Tobago*, by Captain J. Poyntz, 1685）であることも分かっている（Lou Lichtveld, *Crousoe's Only Isle*, Trinidad, 1974）。トバゴ島が、ロビンソン・クルーソーの舞台となった島であることはほぼ疑いない。クルーソー、フライデー、無人島は、大英帝国の支配者、奴隷、カリブ海域に置き換えられるのである。

戦後、イギリス植民地から独立したトリニダード・トバゴ共和国は、エリック・ウィリアムズ（一九一一―八一年）という歴史家かつ名宰相を生んだ。エリック・ウィリアムズは、貧困な黒人家庭に生まれ、才能に恵まれて奨学金を得て、オックスフォード大学を首席で卒業し、アメリカで教えた後、一九五六年に人民国民運動党（ＰＮＭ）を組織して党首になり、イギリスを相手に六二年に独立を勝ち取り、初代首相となり、死ぬ三日前まで執務した。著書『資本主義と奴隷制』（理論社）、『コロンブスからカストロまで』（岩波書店）のほか多くの著作で国民を啓蒙するとともに、議事堂前のウッドフォード広場では定期的に国民に直接語りかけたが、それは「ウッドフォード広場の大学」と呼ばれた。彼は死後、自己を記念する銅像ほか一切を残すことを許さなかった。クルーソーが島の領主・主君と自称したのとは大きな違いである。

大塚久雄氏は、ロビンソン・クルーソーを自立した近代人として理想化された。だが、果たしてそれは適切であろうか。孤島のなかの小さな囲い込み地のなかにいる人物としてよりも、むしろ彼の人生の舞台となる大西洋・地中海・カリブ海に生きた人物として捉えるべきではないか。非ヨーロッパ圏の人間と共通するのは、クルーソーではなく、むしろフライデーの置かれた立場である。自立の精神過程を学ぶべきは、従属的地位に置かれた青年フライデーの運命のその後であろう。そうしたとき、フライデーの真に自立した姿をエリック・ウィリアムズに重ね合わせることができるのである。

資本主義はいかにして成立したか。この決定的な問いに対するマルクスの答えに触れないわけにはいかない。『資本論』第一巻二四章の「本源的蓄積」において、マルクスはこう書き出している――「いかにして貨幣が資本に転化され、資本によって剰余価値がつくられ、また剰余価値からより多くの資本がつくられるかは、すでに見たところである。ところで、資本の蓄積は剰余価値を、剰余価値は資本主義的生産を、これはまた商品生産者の手中における比較的大量の資本と労働力とが、現実にあることを、前提とする。したがって、この全運動は一つの悪循環をなして回転するように見え、我々がこれから逃れ出るためには、資本主義的蓄積に先行する『本源的』蓄積（アダム・スミスのいう『先行的蓄積』）を、すなわち資本主義的生産様式の結果ではなく、その出発点である蓄積を想定するほかないのである」。

本源的蓄積論は、資本主義成立の根本理論であるが、これにも綻びがある。

本源的蓄積とは「生産者と生産手段との分離」すなわち農民が耕作地を奪われ無産者となる一方で、土地を集積する有産者が生じてくることである。西洋社会において一方の極には自己の労働力以外に売るもののない労働者階級が成立し、他方の極に彼らを雇用できる資金と生産手段を持つ資本家階級が成立した。その成立過程を本源的蓄積というのである。

さて、土地と人を雇える資金を持つ者が出現すれば、資本主義が勃興するだろうか。土地と金のある人間は、現在のロシアにもインドにもエジプトにも世界中いたるところにいる。しかし、そのことはそこが資本主義社会であることを意味しない。資本主義の勃興には別の要因を考えなくてはならない。

シュンペーターの『経済発展の理論』（岩波文庫）は、経済学史上はじめて、資本家と経営者とを分けた。資本を持つ者と、経営の才のある者とを区別し、企業家（経営者）が資本主義の発展をもたらすことを理論化したのである。その初版は一九一二年であるから、今世紀にはいるまで、ヨーロッパでは土地を持つ資本家は経営者であると想定されていた。マルクスも『資本論』で、資本家はそのまま経営者であると頭からみなしており、経営能力の重要性にはついに気づかなかったのである。

ここで本源的蓄積論の限界を浮き彫りにするために、日本の例を出してみたい。T・C・スミスは近著『日本社会史における伝統と創造』（大島真理夫訳、ミネルヴァ書房）で、日本の近代化過程がヨーロッパの近代化のパターンと違うことを例証しつつ、とくに明治維新で武士が自らその特権を放棄したのは、西洋では考えられないと力説する。なぜ武士は特権を放棄できたのか。土地を持たない貴族は西洋にはいないが、武士は兵農分離で土地を奪われていた。いとも簡単に特権を放棄できたのは、土地財産がなかったからだと論じている。つまり失うほどのものを持っていなかったのだ。

では武士は何を持っていたのか。シュンペーターの理論にのっとるならば企業家精神である。いいかえれば経営資質である。それは江戸時代における武士の職分である統治に由来するものであろう。統治（government）の能力の錬磨から経世済民（management）の資質が培われたとみられるのである。丸山真男氏は『日本政治思想史研究』（東京大学出版会）において、「修身と治国平天下との分離」を、いわゆる「自然」から「作為」への政治の自立の脈絡で捉えられた。政治の内容は経世済民であり、経営をふくむものである。統治技術のなかから経営が成立したとみられるのである。西洋とはまさに反対に、農民（労働者）が生産手段をもち、武士（経営者）はそれを奪われた。西洋で資本家と労働者が分離したとすれば、日本では経営者と労働者が分離したということができる。

明治維新期に士族から官吏に転じ、明治初期に官を辞して民間人になった渋沢栄一と五代友厚は、それぞれ関東、関西の日本資本主義の父と称される。両者がともに土地所有に裏打ちされた資本家ではなく、徹頭徹尾、企業家精神を持つ経営者としてその生涯を全うしたことは、その例証である。

本源的蓄積（独語 ursprüngliche Akkumulation、英語 primitive accumulation）は「原始的蓄積」とも呼ばれる。生産者と生産手段の分離は、土地の所有者と非所有者への分離の話であり、これは必ずしも「資本家と労働者との分離」へと直接つながる話ではない。イギリスにおける土地所有者の爆発的増大は、ケイン・ホプキンズが共著『ジェントルマン資本主義と大英帝国』（竹内・秋田訳、岩波書店）で論じているように、イギリス固有のジェントルマン階級の成立で説明がつく。「土地所有を基礎とする資本家と、土地を持たない労働者との分離」というのはジェントルマンの成立過程でもある。日本では、経営者が土地から分離し、生産者が土地と結合した。マルクスは農民が土地を奪われる過酷な過程を、血ぬられた暴力の歴史として描いた。それは「原始的」という形容がふさわしい。それと区別して、経営者と労働者の分離という日本における資本主義に先行する蓄積を「本来的蓄積（primary accumulation）」と呼んで区別するのが適当であろう。

これを要するに、資本主義は、その「先行的蓄積」として原始的蓄積論や排他的土地所有権の確立を前提にしなくても論じる得るということである。経済史家として初めてノーベル賞を受賞したD・C・ノースは、西洋社会の勃興を私的所有権の発達として捉え、国家もまたそのようなものとして位置づけた。すなわち、所有権は排他的権利であることを本質とし、「国家とは暴力において比較優位を持ち、国境内部の人間に課税する力を持つものであり、……国家の理解の鍵は資源を支配するために暴力を使えることだ」(D. C. North, *Structure and Change in Economic History*, Norton, p.21.) という。しかし、当の西洋ではEU(欧州連合)、NAFTA(北米自由貿易協定)のように、国民経済の枠組をはみだした経済圏がかたちづくられつつある。インターネットの急速な普及に象徴される情報化の波は、一国単位の議論を急速に時代遅れにするであろうし、排他的所有権をも時代遅れにする可能性がある。情報化時代の資本主義の勃興は、排他的な私的所有権を前提にしないで起こりうるのである。

以上は若干の論点を提示したにすぎないが、このように、旧来の資本主義の生成の理論への根本的疑義を提起することができるのである。戦後日本で「普遍的モデル」とみなされてきた近代的人間類型、個人主義、国民生産力の形成、世界史の基本法則などが相対化され、モデルは崩壊したといわねばならない。では、それに代わる歴史像は、どのようなものでもあり得るだろうか。

一つは、多様性論への傾斜である。「民族・文化・宗教は多元であり多様である」――この議論は、一見、もっとものようである。だが、多様性をつきつめれば、一人ひとりの宗教や文化論にゆきつき、バラバラの相対主義におちいりかねない。悪しき懐疑論に通じる相対主義から脱却するには、「多様性のなかの統一」という視点が重要であろう。全体像を結ばない多様性論は、思想的には悪しき相対主義、不毛のニヒリズムに、実践的には危いアナーキズムに陥るであろう。

もう一つは、全体性回復への傾斜である。ブローデルは『地中海』のなかで、地中海の全体を捉えるために「海の複合体」という言葉を使った（第I分冊、三一頁）。そのアナロジーでいえば「陸の複合体」があるだろう。全体を多様なるものの複合体として捉える視点こそ、ブローデルの真骨頂であろう。それは二宮宏之氏の言葉を借用するならば「全体を見る眼」である。

「全体を見る眼」を持つ歴史家にとって全体とは、しかし、もはや「地中海」ではない。交通・通信・情報のネットワークの拡大と深化によって、世界中いたるところが互いにつながりを深めつつある現代、多様性を一つの像に結ぶ全体とは地球というべきであろう。地球は陸と海とからなる。陸は孤立しかねない。海はつないで孤立をふせぐ。陸地的発想はクローズド・システムに、海洋的発想はオープン・システムに、それぞれ親縁性を持つ。それゆえに、あえて海の重要性を語るのである。それは専門化とともに進行する閉鎖的な細分化の流れに抗し、全体像を構想するべき使命があるという自覚から来るものであろう。

イマニュエル・ウォーラーステイン氏は、明らかにそのような自覚にたった一人である。彼は本書のもとになったシンポジウムには直接参加されなかった。だが、意見をふきこんだテープを送ってこられた。それはシンポジウムには間に合わなかった。しかし、シンポジウムの直前にテープにふきこまれた原稿のファックスが届いた。多忙な時間を割いて、山田鋭夫氏はそれを瞬時にして訳出された。両氏の御厚志に感謝しなければならない。アントニー・ニューエル氏（早稲田大学教授）は巻末の英文目次の作成に力を貸してくださった。本書は、執筆者のみならず、多くの方々の力がはたらき、何かに突き動かされるようにして一書になった。それは、全体像を回復するために、海から見た新しい歴史を構想することへの使命感の共有としか表現しようのないものである。ブローデル『地中海』の訳者の浜名優美氏が第三十二回日本翻訳文化賞、出版社の藤原書店が第三十一回日本翻訳出版文化賞に輝いたのも、偉業への称賛にとどまらず、日本における新しい歴史学誕生への期待の表明でもあろう。

最後になったが、この企画を強力に推進された藤原書店社主藤原良雄氏の熱意を忘れることはできない。編者の不首尾で刊行が大幅に遅れそうな雲行きのなかで、きめのこまかい配慮のもとに、ゆきとどいた編集業務に当たられた清藤洋氏に対しては、いくら謝辞を重ねても足りない思いがある。心から御礼を申し上げる。

一九九六（平成八）年　早春

編者識

続・エピローグ

海洋アジアと近代世界システム

川勝平太

一　東アジアと近代世界システム

本書の旧版が世に出たのは一九九六年であるが、その時点でだれがいったい、中国の経済力がアッという間に日本を抜き去り、世界で最大・最強のアメリカ合衆国と覇を競う世界第二の富国強兵の大国になる、と予想したであろうか。だが、そうなると予想していた歴史家がいた。イマニュエル・ウォーラーステインである。

ウォーラーステインは本書に寄せたボイス・メッセージで、「一八五〇―二〇〇〇年のストーリーを見れば中国より日本の方が『うまくやった』ようだが、二一〇〇年まで延長して比較すれば同じことにはならないだろう」と、婉曲ながらも、中国の台頭を予期していた。彼の予見は的中した。それは歴史家ウォーラーステインの炯眼に帰せられる。

ウォーラーステインはブローデルの歴史観に依拠して独自の学説を立てた。より正確には、ブローデルの独創的な三つの時間（出来事・構造変動・自然環境）のうち中間の「構造変動の歴史」という「長期の持続」に立脚して「近代世界システム」を構想した。「近代世界システム」論の拠って立つ歴史の時間は「文明」の歴史の時間と言い換えうる。なぜなら「近代世界システム」の出現は「近代西洋文明」の勃興と同義だからである。

近代世界システムは中核・半辺境・辺境の三層構造をもって、「長期の十六世紀」に大西洋を股にかけて成立し、富が集中し中核となる覇権国をオランダからイギリスへと交代しながら、その領域を環大西洋から環インド洋へと拡げ、その触手は十九世紀には東アジアに伸びた。その過程で、世界の過半は近代世界システムに取り込まれ、アメリカ、アフリカ、南アジア、東南アジアはつぎつぎと植民地に編入された。ウォーラーステインは、十六世紀以降の歴史を、近代世界システム＝近代西洋文明の拡大の過程とみなした。

しかし、例外があった。東アジアである。日本と中国とは西洋列強の植民地にならなかった。それどころか、日本は十九世紀のアジアで唯一、政治的独立を堅持し、かつ経済発展に成功した国である。二十世紀に入ると、イギリスが一目をおかざるをえない国力を持つに至り、日英同盟が結ばれ、同盟は二度の改定を重ねて、ついに日本の地位はイギリスと対等の同盟関係になった。イギリスと対峙した日本は、幕末・明治維新から第二次世界大戦までの一世紀をかけて、自国を中核とし、周辺の台湾・朝鮮・満州を半辺境として、周辺アジアを辺境とする、もう一つの疑似的「近代世界システム」を創り上げたとみなすことも可能である。二十一世紀の中国は「一帯一路」政策によってアジア・アフリカ、さらにはヨーロッパにも影響力を行使し、アメリカ合衆国と対等に渡り合うまでになっている。中国は現代世界においてアメリカ合衆国と並ぶもう一つの中心性を占めつつある。

楕円の焦点が二つあるように、近代世界システムの中核国を楕円の一つの焦点だとすると、その焦点の担い手はイギリスからアメリカに移ったが、もう一つの焦点は東アジアにあり、日本から中国へとその担い手を交代させながら「長期の持続」を示してきたのである。

繰り返すが、東アジアは近代世界システムの論理に包摂されない独自の文明空間として位置づけなければならない。東アジアは、近代以前は「近代世界システム」の外部にある文明空間であり、近代以後は「近代世界システム」の対抗勢力となった。明治期の日本人はそれを「万国対峙」と表現した。

近代世界システム＝西洋文明に対抗する道は二つあった。一つは、西洋文明と同じ資本主義システムを採用して列強に伍す強大な帝国主義国家となる道である。もう一つは、それと対抗する社会主義システムを採用して真っ向から対決する道である。

明治日本は「西洋の文明を目的とする事」（福沢諭吉『文明論之概略』）を明確な国家目標にし、一貫して資本主義の道を歩んできた。戦前期の日本は大英帝国をモデルにしながらも、それと対抗する大日本帝国の建設をめざした。しかし、第二次世界大戦で連合国軍の中でアメリカ軍にのみ大敗し、戦後の日本人はアメリカをモデルとしながらも（アメリカと対抗する情念を内に秘めて）日本国憲法第九条を遵守することで明治以来の強兵路線を反省し、「平和な経済大国」へと変貌した。

戦後日本の復興と経済発展によって、国際社会に占める日本のプレゼンスは確実に高まり、七十年余にわたる「長期の平和の持続」に照らして戦後日本を「パクス・ヤポニカ」と名づける識者もいる（山折哲雄『ニッポンの負けじ魂――「パクス・ヤポニカ」と「軸の時代」の思想』朝日選書、二〇一二年。山折哲雄・川勝平太『楕円の日本――日本国家の構造』藤原書店、二〇二〇年）。

中国は、阿片戦争以後、イギリスほかの西洋列強に領土の一部を割譲させられるまで追い込まれたが、戦後は社会主義を標榜して、西側の資本主義勢力と明確に対決する姿勢を示した。毛沢東は、しかし、一国社会主義路線による「大躍進」政策で一千万人を超える餓死者を出した（ジャスパー・ベッカー『餓鬼（ハングリー・ゴースト）――秘密にされた毛沢東中国の飢饉』上下、中公文庫）。つづく鄧小平は「社会主義市場経済」を採用し、富国路線に転じて成果をおさめ、また「一国二制度」という奇策で香港をイギリスから取り戻した。中国は路線を変更したかに見える。だが、香港・マカオはもとより、チベットも台湾もかならず獲得するという領土的野心は、毛沢東・鄧小平も、ヴォーゲルによれば、両主席の表面的な政策の違いを超えて、一貫している（Ezra Vogel, *Deng Xiaoping and the Transformation of China*, Belknap/Harvard, 2011）。

もし――「もし」は歴史に禁物であることを承知の上で――明治維新期に社会主義・共産主義の古典『資本論』が知られていたならば、日本は当時の最大・最強のイギリスと対抗するために、イギリス資本主義の矛盾を暴き、資本主義の崩壊の必然性を論じた『資本論』に依拠して、社会主義をイデオロギーとして、イギリスと対抗する道もありえた。なぜなら幕末の開国主義には「夷の長技をもって夷を制する」という攘夷の思想が底流にあり、それは「共産主義革命は資本主義の高い生産力基盤を活用して資本主義を打倒する」というマルクスの思想と、概念は異なるが、構造が同じだからである。ただし『資本論』第一巻（ドイツ語）が世に出たのは、江戸時代が幕を閉じる慶応三年であり、日本人の誰一人としてマルクスの思想を知らなかった（社会主義思想が日本に紹介されたのは明治中葉である）。

戦前期の日本には社会主義運動もあったが挫折した。戦前・戦後の日本におけるマルクス主義経済学者として知られた山田盛太郎でさえ戦前期の中国を視察したとき、中国農業の遅れに対して日本をモデルとした（武藤秀太郎『近代日本の社会科学と東アジア』藤原書店、二〇〇九年）。一方、戦前期の中国では、河上肇の著作が李大釗のような中国共産党の理論的指導者や留学生などによって中国語に訳され、中国共産党の知的基盤になった（三田剛史『甦る河上肇』藤原書店、二〇〇三年）。戦前期の中国には共産主義思想が浸透し、中国共産党は資本主義を許容する国民党を締め出した。以来、中華圏では「大陸中国（社会主義）」が「海洋台湾（資本主義）」に対して優位に立っている。

ブローデルの提示した三つの時間軸の一つ「構造的時間」に立ってみれば、十九世紀から二十世紀にかけての西ヨーロッパにおけるイギリスの地位と東アジアにおける日本は並ぶのである。二十一世紀の中国のプレゼンスの高まりはアメリカ合衆国と並びつつある。直近のGDP（二〇一八年）で比較すると、アメリカは二〇兆六千億ドルで世界一位であるが、第二位中国の一三兆四ドルと第三位日本の四兆ドルを足せば、アメリカにもEU（一八兆七千億ドル）にも匹敵する。西洋におけるイギリスからアメリカへの中核国の移行は「近代世界システム」の枠内で説明できるにしても、東アジア世界における日本に続く中国の台頭はそれとは別の論理が要るであろう。

もう少し積極的に言うならば、「近代世界システム」と「東アジア」の両方の歴史的空間をともに視野に収める「構造的時間」に立った歴史観が必要である。構造としての歴史的時間は、ブローデルの「十六世紀」が「地中海」と不可分であるように、構造としての地理的空間と不可分である。すなわち「長期の持続」とは歴史的時間と地理的空間の一体性においてとらえなければならない。

繰り返せば、東アジアの構造的な時空は近代世界システムのそれとは異なる。「構造的時間・空間」が近代世界システムと東アジアとの間で相異のあることを示す事例を示しておこう。十九世紀後半から第一次大戦にかけてのイギリスは世界の七つの海を支配する「大英帝国」として君臨した。その間にインドを植民地にした。インドは「世界の工場」のイギリス綿製品の市場となり、原料綿花の供給地になった。それはなによりもインドが「近代世界システム」に完全に取り込まれたことを意味し、インドの貧困化のイメージ（マルクス――「この窮乏たるや商業史上に例をみない。インドの織物工の骨はインド平原を真っ白に染め上げている」）と結びついている。それは部分的には正しい。しかし、正確ではない。全体像をとらえていない。

全体像を見やすくするために、一八六八年から第一次世界大戦までのインドの貿易収支を示したグラフ1とグラフ2を掲げよう。グラフ1が示しているように、インドはイギリスには赤字であり、その赤字は膨大であった。だが、インドの貿易相手はイギリスだけではない。他のヨーロッパ・アメリカ、他のアジア地域に対して、インドは一貫して黒字であった。しかも差し引き、インド経済はこの時期を通じてイギリスへの赤字を補って余りある貿易黒字を享受していたのである。それは富のイギリスへの流出によるインドの貧困化のイメージを裏切る事実である。インドにはイギリスへの富の流出をはるかに上回る富が他地域から流入していたのである。

では、インドはアジアのどこから富を得ていたのか。グラフ2が明快に物語るように、ジャワを除いて、他の東南アジア地域、東アジアなかんずく日本と中国からである。インドは、イギリスとの関係にもまして、他のアジア、特に東アジアとの関係のほうが重要なことが分かるであろう（A・J・H・レイサム『アジア・アフリカと国際経済　一八六五—一九一四年』日本評論社）。

十九世紀後半の東アジアの日本と中国は、イギリスからの外圧よりも、インドからの輸出攻勢に直面していた。マルクスが、中国は商品経済が未発達なのでイギリス製品が売れない、と断定していた最中に、インド製品（主にボンベイ産の綿糸）は滔々と中国にも日本にも浸透していたのである。

グラフ1　インドの世界地域別貿易収支　1868～1914年

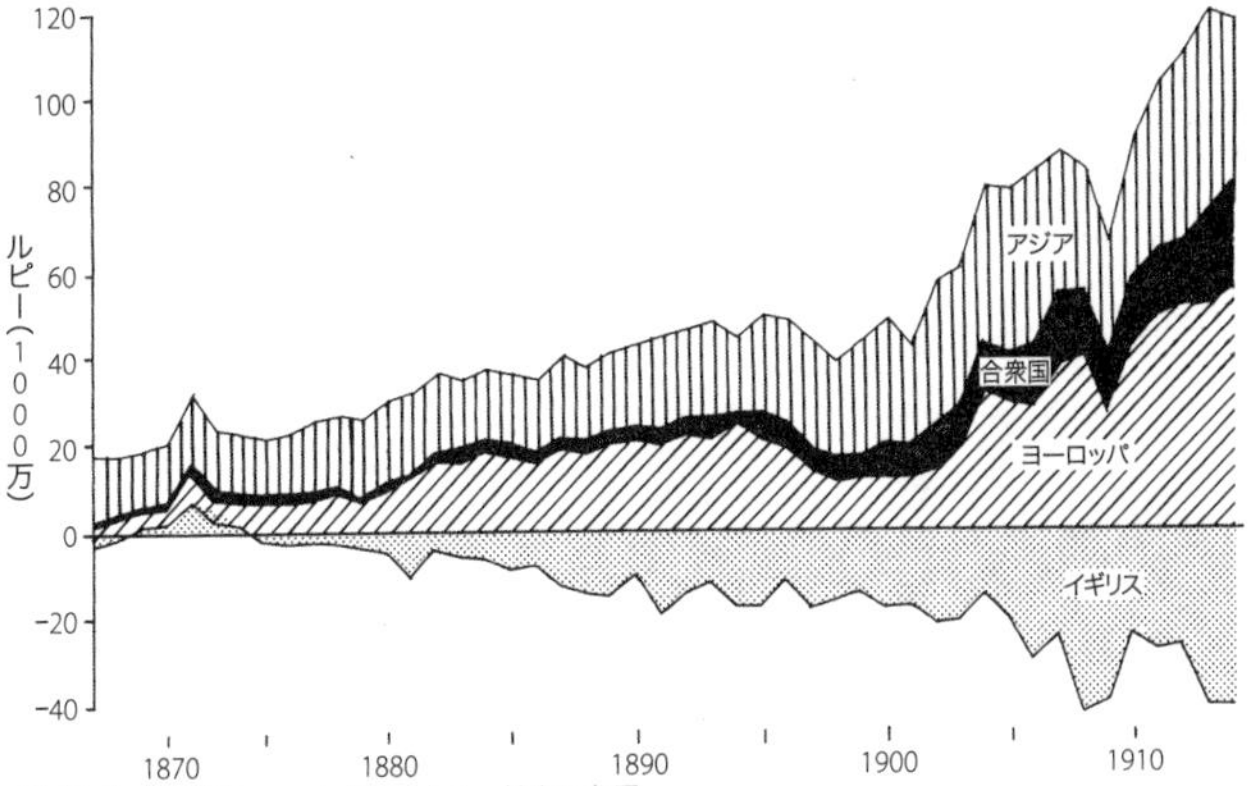

（出典）*Statistical Abstracts for British India*：付表5参照。

グラフ2　インドの対アジア貿易収支　1868～1914年

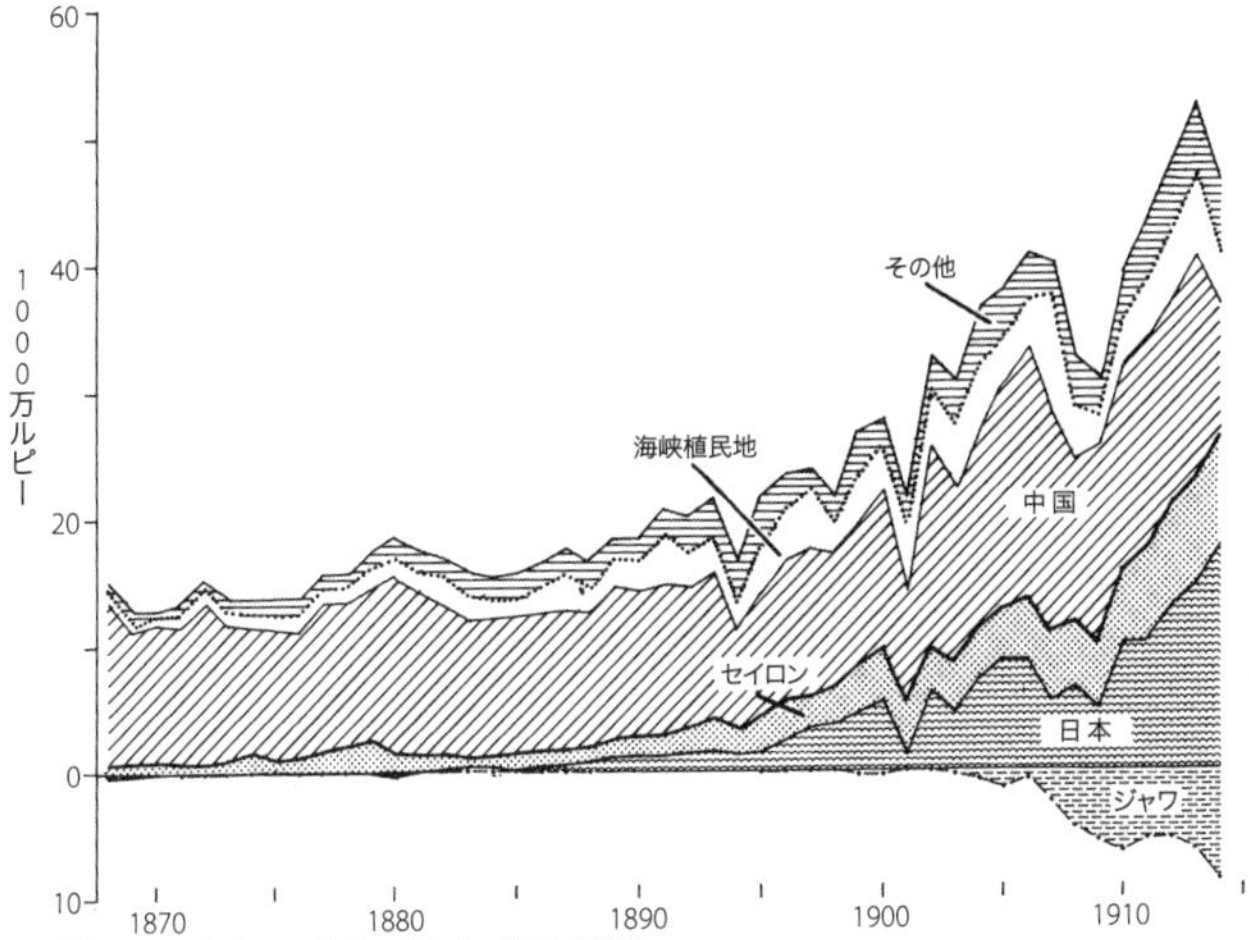

（出典）*Statistical Abstracts for British India*：付表6参照。

出所：A・J・H・レイサム『アジア・アフリカと国際経済――1865-1914年』（川勝平太・菊池紘一訳，日本評論社，1987年）80-81頁

当時のインドのボンベイ（現在のムンバイ）は世界の工場イギリスのマンチェスターに当たる。マンチェスターの綿業資本家は、躍進するボンベイ紡績業の競争をきわめて深刻に受け止めており、それはイギリス議会でもとりあげられ、またマンチェスター商工会議所は、太い糸の綿糸（24番手以下）の市場（インド国内市場と東アジア市場）ではボンベイ綿業には太刀打ちできないという報告書をまとめていた（H. Kawakatsu, *The Lancashire Cotton Industry and Its Rivals — International Competition in Cotton Goods in the Late Nineteenth Century: Britain versus India, China, and Japan*, International House of Japan, 2018）。

イギリスを中核とする近代世界システムの木綿市場は〈長繊維綿花―細糸―薄地布〉の品質連関をもっており、東アジアの木綿市場は〈短繊維綿花―太糸―厚地布〉の品質連関をもっていたので、木綿の品質の違いが価値法則の貫徹を許さなかったのである。十九世紀後半から第一次大戦にかけて、インドは東アジアに対しては〈短繊維綿花―太糸―厚地布〉の品質連関をもつ木綿市場において「アジアの工場」として立ち現れていたのである（川勝平太『日本文明と近代西洋』ＮＨＫブックス、同『木綿の世界市場』（仮）近刊、藤原書店）。

結論を先取りすると、紡績業を中心とする日本の明治中期の産業革命は、一見すれば、イギリスへのキャッチアップであったように見える。実際、これまで教科書でそう書かれてきたし、通念にもなっている。しかし、実態は異なる。綿紡績業を中軸にした産業革命によって日本は、インドのボンベイ綿業との熾烈な競争に打ち勝ったのである。それは、その百年前にイギリスが産業革命をおこすことによって、国内に滔々と流入していたインド綿製品との競争に打ち勝ったのとまさに相似形である。

かつてのイギリスがそうであったように、日本も、インド綿製品の流通する国内市場を国産化によって取り戻し、つづいてインドの綿製品市場を奪い、東南アジア・インド本国にも市場を広げた。日本は、西洋列強なかんずくイギリス資本主義との競争ではなく、〈太糸―厚地布〉からなる木綿製品のアジア市場における「アジア間競争」に打ち勝ってアジア最初の工業国家になったのである（拙稿「イギリス産業革命とインド」『早稲田政治経済研究叢書』2号、ならびに拙稿「日本産業革命のアジア史的位置」『早稲田政治経済学雑誌』二九七・二九八合併号）。

右の事実は、「近代世界システム」の中核国イギリスにとらわれた視点――西洋中心主義――からはけっして見えてこない。西洋中心主義から自由になり、「東アジア」と「近代世界システム」との間に広がる「海洋アジア」の交易ネットワークに視点を移し、インド・東南アジアと東アジアとの関係を見ることによって「アジア間競争」の実態もまた見えてくるのである。東アジアの歴史的な構造的時空と近代世界システムのそれとは異なる。その事実が、両者をともにとらえるために、両者の中間にありかつ両者を媒介する「場」を必要とするのである。

二　東南アジア──近代文明の母胎

近代世界システムが出現する十五世紀後半から十七世紀前半は「長期の十六世紀」といわれる。その頃からイギリスが確固たる中核国にのし上がるまで、またそれと同時期の鎖国時代を含む日本の台頭を、ともに視野におさめ、日英両国の共時的連関を捉える地平はどこであろうか。それは二つの島国の間にあり、かつ両者を結んでいる大海原である。時空を特定すれば、近世初期の西ヨーロッパと東アジアの間にある海洋アジアであり、さらに限定すれば「長期の十六世紀の東南アジア海域」である。

十六世紀は「ブローデルの世紀」ともいわれる。その時期の海洋アジアは、異なる諸民族が来航して蟻集《ぎしゅう》し、民族の坩堝《るつぼ》の様相を呈していた。この時期の東南アジアをオーストラリアの歴史家アンソニー・リード（一九三八―）は「商業の時代」という用語で捉えている（*Southeast Asia in the Age of Commerce, 1450-1680*（タイトルの直訳は「商業時代の東南アジア、一四五〇―一六八〇年」。邦訳名は『大航海時代の東南アジア』Ⅰ・Ⅱ、法政大学出版局）。

東南アジアの重要性を示すために、試みに、インド史の家島彦一氏提供の**海域図1**（本書一六八頁）と中国史の浜下武志氏提供の**海域図7**（同一九九頁）をあわせて眺めてみよう。

海域図1ではベンガル湾海域と南シナ海海域が重なる海域は東南アジア海域である。海域図7ではインド洋、ジャワ海、セレバス海、スールー海、南シナ海の重なる海域は東南アジア海域である。海域図1・7の両図には「東南アジア」という名称は書き込まれてはいないが、両図から東南アジア海域の媒介性・ネットワーク性は一目瞭然である。

当時の東南アジア多島海では異なる諸民族の間では目立った戦争もなく（ヨーロッパ人同士のアンボイナの虐殺などの例はあるものの）、アジア域内交易が「自生的秩序」のもとに活発に行われていた。そのことは本書の「総合討論」で論じられ、本書「新版への序」において関連発言を紹介したところである。

たとえば少し時代は下るが、十八世紀後半から東南アジアに進出したイギリス民間商人の間で、イギリス東インド会社には属さずに自由な域内交易に従事する動きが活発になった。それは「カントリー・トレイド（country trade）」といわれ、彼らイギリス商人はカントリー・トレイダーと呼ばれた。十九世紀前半になるとカントリー・トレイダーたちはインドの綿花・阿片を中国に運び、中国から茶を仕入れ、それを銀に換えた。またその銀でインドの綿花・阿片を買うという三角貿易で利益を上げていた（浜下武志『朝貢システムと近代アジア』岩波書店）。

イギリスの民間のカントリー・トレイダーたちは、東南アジア海域の港市システムにならい「自由貿易」を享受しただけではない。後にはイデオロギーとして「自由貿易」を主張し、イギリス東インド会社の貿易独占に反対した。そしてついに会社を解散に追いやったのである（M. Greenberg, *British Trade and the Opening of China, 1800-42*, Cambridge, 1951）。カントリー・トレイダーは自由貿易の担い手である。香港で活躍したイギリス商社のジャーディン・マセソンやスワイヤーらは、さかのぼれば、カントリー・トレイダーである。イギリス商人は東南アジア海域の自由貿易を学び、レッセフェールを十九世紀イギリスのイデオロギーにしたのである。自由貿易はアングロ・サクソンの専売特許ではなく、その原型は東南アジア海域にあった自生的秩序におけるアジア域内交易である。

自由貿易を理想とする現代の世界経済の原型は東南アジアを淵源とし、そこから四通八達する海上の道にのって、様々な物産・文化・情報が行き交い、流れ出た。物流の波は西北端のイギリス諸島と、東北端の日本列島の岸辺にも達した。巨大物流の波濤を浴びた二つの島国からは、引き潮にさらわれるように、膨大な貨幣素材が流出した。江戸時代の日本の銀は対馬を介して朝鮮から中国へ、銀・銅は長崎から主に中国に吸収されたが、銅・銅銭は東アジア・東南アジアの共通通貨でもあったから、長崎からオランダ東インド会社ならびに唐人を通して、日本銅（寛永通宝のような銅銭を含む）は東南アジアにも大量に流れていた（R. Shimada, *The Intra-Asian Trade in Japanese Copper by the Dutch East India Company during the Eighteenth Century*, Brill, 2006)。

「東南アジア」という地域名は二十世紀になって登場したものである。しかも、その名称を最初に使ったのは日本人である。東南アジア史の清水元氏によれば、「第一次大戦後の大正八年（一九一九年）二月にはじまる第三期国定地理教科書『尋常小学地理書』巻二には、『第八　アジヤ州……五　東南アジヤ』という表題の下に大陸部東南アジア・島嶼部東南アジアが一括して記述されている。これが小学校の地理教科書において『東南アジア』という名称が使われた最初である。いや、おそらくは、日本で『東南アジア』のタームがあらわれた最初といってよいであろう。以後、戦前期の国定教科書ではすべて、『東南アジア』の名称が使われている」（清水元「日本・東南アジア関係の文明史的位置」、清水元他『東南アジアからの知的冒険――シンボル・経済・歴史』リブロポート、一九八六年所収。二九六頁）。

ヨーロッパでは今日の東南アジアは久しく「東インド」の一部として認識されていた。東南アジアは、その名称の成立前から存在していたが、それはヨーロッパ人が到達するよりも前からアメリカ大陸が存在していたというのと同じ意味ではない。アメリカ大陸はヨーロッパ人が到達してからはじめて世界史に登場したが、東南アジアは、ヨーロッパ人が到達するよりもずっと前から、ヨーロッパを含む諸地域に対して深甚な影響を及ぼしていたからである。

東南アジアは島嶼部と半島部からなるが、半島部も海と関わっている。たとえば、石井米雄氏は、タイ（シャム）に十四世紀の半ばに建国されたアユタヤ王朝の首都アユタヤは河の港であり、プラマプトラ河を通して内陸の蘇木・象牙・胡椒・丁香・樹香などの物産を海域に運ぶ「港市」であったこと、また、国王が「最大の商人」でもあり、アユタヤ王朝は「貿易国家」「商業国家」と称しうる海洋的性格をもっていたことを立証した。タイの最大の輸出品コメについて、雨季に増水するデルタで水の上昇にあわせて茎をグイグイと伸ばす品種「浮稲《うきいね》」を選別するなどの「農学的対応」と、導水溝・揚水施設・築堤・貯水池などの用水施設を整備するなどの「工学的対応」を組み合わせて生産を増加させていた（石井米雄「稲作と歴史」、同「港市国家としてのアユタヤ——中世東南アジアの交易国家論」、両論文とも石井『タイ近世史研究序説』岩波書店、所収）。

タイの輸出品は十九世紀後半から百年間はコメ、錫、チーク、ゴム、砂糖などであったが、首位をしめたのがコメであった。アジア産のコメは価格競争のみならず「品質競争」があり、アジア産のコメの中でタイ米は香りのある「ガーデン・ライス」が品質上の優位に立ち、今日のインディカ米の最高ブランド米の「カーオ・ホーム・マリ（ガーデン・ライス）」は、一九六〇年代に在来のガーデン・ライスの品種改良という農学的対応によって生まれたものである（宮田敏之「世界市場とタイ産・高級米の輸出」、川勝平太編『グローバル・ヒストリーに向けて』藤原書店、所収。宮田敏之「タイ米輸出とアジア間競争」、川勝平太編『アジア太平洋経済圏史1500-2000』藤原書店、所収)。

マレー半島のマラッカも同様である。日本商人の東南アジアにおける活動領域はほぼ中国華僑のそれと重なり、東南アジアにおける日本人町には隣接してチャイナ・タウンがあった(岩生成一『南洋日本人町の研究』『続南洋日本人町の研究』岩波書店)。東南アジア海域には、世界史上初めて、数多の民族が蟻集し、互いに海域で入り混じりながら交流したのである。当時の東南アジア海域は世界性ないし国際性(正確には民際性)をもっていた。近世＝近代勃興期の東南アジアは世界の諸民族の坩堝であった。冒険商人トメ・ピレスが一五一四年ごろに著した『東方諸国記』(岩波書店)に、マラッカで取引に従事していた人々とその出身地について、

「カイロ、メッカ、アデンのイスラム教徒、アビシニア人、キルワ、メリンディ、オルムズの人々、ペルシア人、ルーム人、トルコ人、トルクマン人、アルメニア人のキリスト教徒、グザラテ人、シャウル、ダブル、ゴア、ダケン王国の人々。マラバル人、ケリン人。オリシャ、セイラン、ベンガラ、アラカンの商人、ペグー人、シアン人、ケダの人々、マラヨ人。パパンの人々。パタニ人、カンボジャ人、シャンパ人、カウ

シ・シナ人、シナの人々、レケオ人。ブルネイ人、ルソン人、タンジョンプラ人、ラヴェ人、バンカ人、リンガ人、マルコ人、バンダ人、ビマ人、ティモル人、マドゥラ人、ジャオア人。スンダ人、パリンバン、ジャンビ。トゥンカル、アンダルゲリ、カポ、カンパル、メナンカボ、シアク、ルパト、アルカト、アル。バタ、パセー、ペディル、ディヴァの人々」

と驚嘆しつつ記している。引用文にあるレケオは「琉球」、シナは「中国」である。中東ではカイロ、ホルムズ、ペルシャ、アルメニアなどの名は特定しやすい。

東南アジア海域に数多の民族が蟻集した理由は疫病（黒死病、ペスト）のユーラシア全域への蔓延である。それは「十四世紀の危機」とも言われる。雲南地方の風土病であったものがモンゴル人に感染し、モンゴルの西漸でイスラム圏に伝染し、ヨーロッパの東方貿易の拠点ヴェネツィアからヨーロッパ全域に広がった。西洋社会では「黒死病」の名で知られる。その特効薬と信じられたのが胡椒・香辛料であった。それはヨーロッパでは、イスラム圏から輸入されて教会で管理されていたが、原産地をたどれば「香料諸島（スパイス・アイランズ）」をふくむ東南アジアであった。

イスラム圏に対して支払い超過になったヨーロッパでは、オスマン帝国支配下のイスラム圏を介しないで現地に行く方策が模索され、それが大航海時代の幕開けとなった。結果的に東南アジアにあらゆる民族が蟻集したのである。

「長期の十六世紀の東南アジア」は「プロト世界経済（proto world-economy）」と形容することができる。「プロト世界経済」における最大の交易品は当時「医薬」と信じられた胡椒・香辛料であり、それを獲得するため、諸民族はそれぞれの様々な物産を交易した。ユーラシア各地の物産・文化・情報は海洋アジアの坩堝の中に流れ込んだのである。

十八世紀になって人々が免疫性を獲得するようになると、胡椒・香辛料は「医薬」という必需品の分野からはずれ、「薬味」になって料理を豊かにする嗜好品になった。胡椒・香辛料が嗜好品に変化するとともに、交易品の中心も、胡椒・香辛料から木綿・絹・砂糖・陶磁器・染料等に変わっていった。東南アジアの胡椒・香辛料の次に、アジアとの交易の主役となったのはインド木綿である。

インド木綿はヨーロッパ社会に「ファッション革命」を起こすほど人気を博し、それを国産化する過程でイギリスは産業革命をおこした（川勝平太「イギリス産業革命とインド」『早稲田政治経済研究所叢書』2号所収）。海洋アジア交易圏における胡椒・香辛料から木綿への交易物産の主役の交代は、近代世界システムの中核国のオランダからイギリスへの交代と対応している。オランダの海洋アジアにおける拠点は胡椒・香辛料の産地・東南アジア（ジャワ）であったが、イギリスの拠点は木綿の産地・インドである。

近代文明の形成の淵源は十四世紀のペストの流行である。それは世界諸民族を東南アジアに来航させるきっかけになり、東南アジア交易圏への関与を深めたことからヨーロッパは中世社会から近世社会へと社会構造を変えた。ついでながら、二〇二〇年は感染症の新型コロナウイルス（COVID-19）で世界が揺らいだ。アフター・コロナの世界は、アフター・ペスト（黒死病）が近世社会の幕開けを準備したように、これまでとは大きく様変わりするものと予想される。

近代歴史学の父ランケ（一七九五―一八八六年）は『世界史概観』（岩波文庫）で「一切の古代史はいわば一つの湖に注ぐ流れとなってローマ史の中に注ぎ、近世史の全体は、ローマ史の中から再び流れでる」（鈴木成高訳）と喝破したが、それはヨーロッパ史に関する概括である。世界史的な観点からすれば、古代文明以来のすべての文明は大きな物流となって東南アジア海域に流れ込み、その後に勃興する近代文明は東南アジア海域から生まれたのである。そして近代文明が確立するや、以後は、物流は逆流し、海洋アジアは近代文明に蚕食される地位に転落していった（次頁の図を参照）。

両大戦間期には、海洋アジアを支配する覇権国のプレゼンスに大きな変化がおこった。第一次大戦でヨーロッパが主戦場になった結果、ヨーロッパ列強のアジアへの関与が急速

図

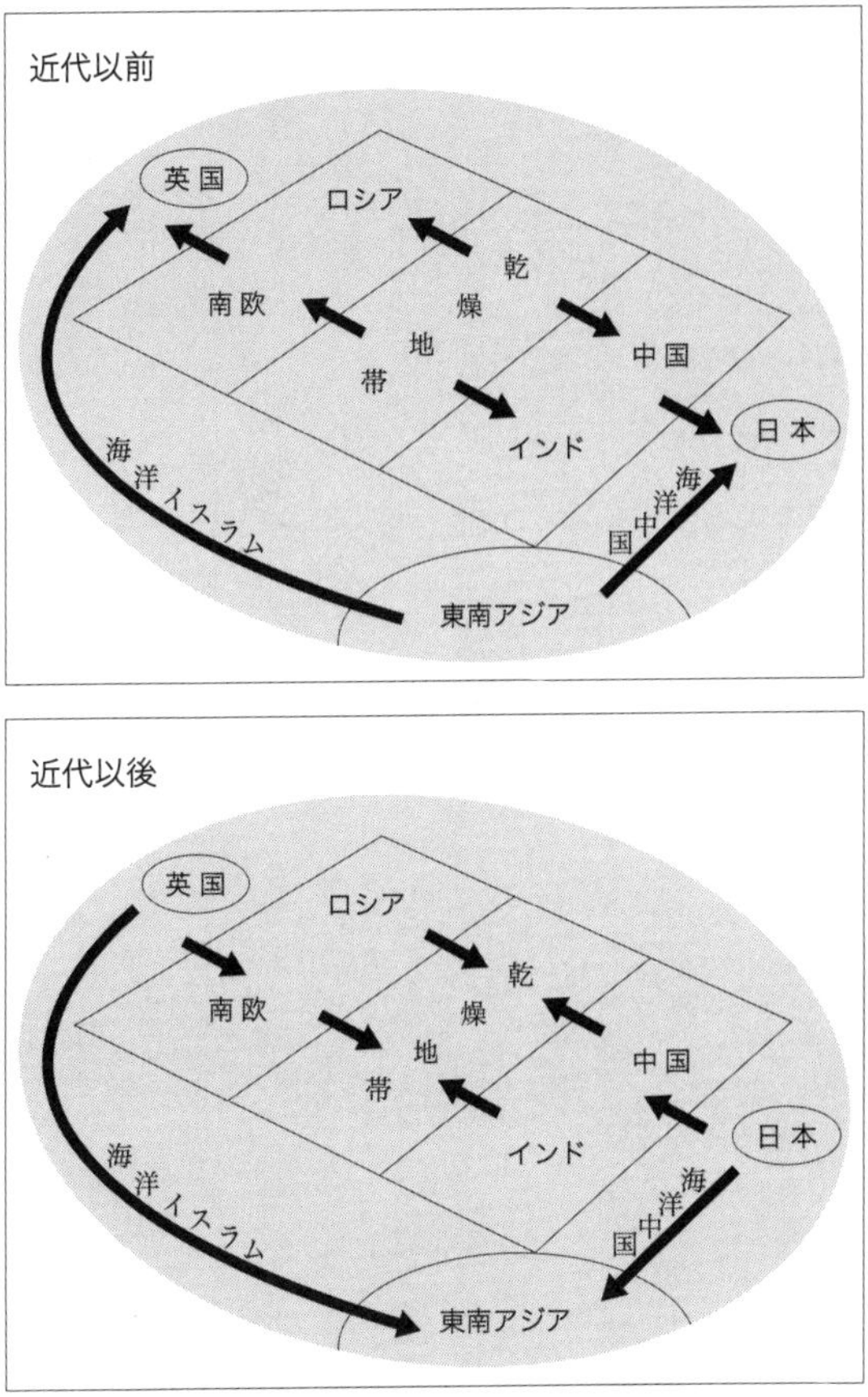

➡は力（軍事力・経済力・文化力等）のベクトルの向きを示す

出所：川勝平太『文明の海洋史観』（中公文庫，2016年）215頁

に薄まり、東南アジア・南アジア市場はいわば空白になった。その空隙を埋めるように、経済進出を本格化させたのが東洋の帝国主義国・日本である。

日英同盟の誼みによって日本は第一次世界大戦に参戦し、戦勝国の一員となって、戦後に結成された国際連盟からドイツ領であった南洋諸島（現在のパラオ共和国、ミクロネシア連邦、マーシャル諸島共和国）を委任統治の形式で事実上の領土とした。南洋諸島へは主に沖縄からの移民労働者がはいって漁業や農業（サトウキビ）を営み、政府は小学校を設立して、南洋諸島の日本化政策を進めた。西太平洋において日本のプレゼンスは急速に高まり、アメリカ合衆国との間に「太平洋問題」が浮上することになった。アメリカは「太平洋戦争」によって太平洋問題を解決し、戦後の南洋諸島は、例外なく、国際連合の信託統治の形式でアメリカの事実上の領土となった。

両大戦間期の東南アジアへは、雑貨商売や農業のほか「からゆきさん」のような女性も含めた移民労働者が多くでかけた。中でも日本の工業製品は、ヨーロッパ製品の安価な代替品として、東南アジアのオランダ領インドネシア、さらに南アジアのイギリス領インドにまで入りこんだのである。その結果、海洋アジア交易圏において、日本とオランダ、日本とイギリスとの間で深刻な貿易摩擦が生まれた。輸入関税によって日本製品の流入を防ぐしか方策がなく、終始、劣勢に立たされたのは第一次大戦で経済が疲弊したイギリスでありオランダである。攻勢をかけた日本は「南進」を国策に引き上げ、やがて大東亜共栄圏を志向していく。その動きは第二次世界大戦の一因になった。

三　海からの歴史像

「長期の十六世紀」すなわち近代世界システムにおけるイギリスの勃興と、鎖国時代を含めた日本の歴史的台頭をともに視野にいれて、日英両国の共時的連関を「海洋から見る歴史」の見取り図は『文明の海洋史観』（中公文庫、初版一九九八年）、『近代文明の誕生』（日経ビジネス人文庫、二〇一一年）、『資本主義は海洋アジアから』（日経ビジネス人文庫、二〇一二年）、『鎖国と資本主義』（藤原書店、二〇一二年）などで論じた。以下はその骨格である。

世界最初の近代文明はヨーロッパに勃興した。国を特定すれば、西洋最初の近代文明は西ヨーロッパのイギリスに誕生し、東洋最初の近代文明を担ったのは東アジアの日本である。イギリスは西ヨーロッパの西端に浮かぶ諸島（the British Isles）であり、日本は東アジアの東端に浮かぶ列島（the Japanese Archipelago）である。近代文明の経済基盤は、農業を基盤としつつも、人類の歴史とともに古い「商業」のネットワークを必要条件とし、「物づくり（工業）」を十分条件とした文明である。

海洋に基礎を置く近代文明の勃興を論じた歴史書は数多あるが、その中で二人の偉大な歴史家の作品がそれぞれ、古代から中世への移行、中世から近世への移行について骨太の筋道を示した。一人は二十世紀前半の最高の歴史家ベルギーのH・ピレンヌ（一八六二—一九三五年）の『マホメットとシャルルマーニュ』（創文社）であり、もう一人は、二十世紀後半の最高の歴史家フランスのブローデルの『地中海』（藤原書店）である。二人とも期せずして「海からの歴史像」を提供した。

ピレンヌの歴史観はヨーロッパの古代から中世への転換期をキリスト教圏とイスラム教圏との力学で捉えたものである。マホメット（五七〇年頃—六三二年）はイスラム教の創始者であり、シャルルマーニュ（七四二—八一四年）は、EUの通貨に肖像が描かれているように、キリスト教文化圏ヨーロッパのシンボルである。「マホメットなくしてシャルルマーニュなし」——これがピレンヌ・テーゼである。ヨーロッパは、イスラム教文化圏と対峙することでキリスト教圏としてのアイデンティティを獲得した。イスラム教の勢力は急速に東西両方向に拡大した。西方への拡大は古代ローマ帝国が「我らの海」としていた地中海を「イスラムの海」に変貌させた。キリスト教圏は陸地に封じ込められ、土地所有に基礎をおく封建制を発達させたのである。

キリスト教圏が地中海を取り戻す試みは、第四回十字軍（一二〇二—〇四年）の頃から始まる。ヴェネツィアが主な窓口となって「商業の復活」（ピレンヌ）が起こり、ヴェネツィアはイスラム教圏、特にオスマン帝国との「東方貿易」の実利を得て隆盛した。しかし、最終的にはキリスト教圏とイスラム教圏（オスマン帝国）との戦争になった。

戦争のクライマックスが一五七一年のレパントの海戦である。地中海をめぐる中世から近世に至る歴史を扱ったのがブローデルの『地中海』である。レパントの海戦におけるキリスト教圏の勝利をブローデルは達意の文章で活写している――

「対峙するキリスト教徒とイスラム教徒、この時、どちらも驚きの色に染め上げられながら、相手の兵力を数えあげることができた。トルコ側は戦艦二三〇隻、キリスト教国側は二〇八隻。キリスト教国側は大勝利をおさめた。トルコ側は三〇、〇〇〇人以上の死傷者と、三〇〇〇人の捕虜を出した。ガレー船の漕ぎ手として働いていた一五、〇〇〇人の徒刑囚が解放された。キリスト教徒側は、一〇隻のガレー船を失い、死者八、〇〇〇人、負傷者二一、〇〇〇人を出した。戦場と化した海は、戦っている人々には、突如、人間の血のように見えた。キリスト教世界の現実的な劣等感に終止符が打たれ、それに劣らず現実的なトルコの優位が終わりを告げた。」（浜名優美訳、抄録）

レパントの海戦の後、地中海の支配は大きく東西に分断され、東地中海はイスラム教圏に、西地中海はキリスト教圏になった。ブローデルはレパントの海戦とその後の動きを追いながら、海戦を契機に、歴史の舞台が地中海から大洋に拡大し、中世が終わりを告げて近世の幕が開ける新時代を見据えていた。

ピレンヌはヨーロッパにおける古代から中世への移行をテーマとし、ブローデルはヨーロッパにおける中世から近世への移行をテーマとしたが、ともにイスラム教圏とキリスト教圏との力関係（balance of power）という視点から歴史の大転換期を捉えていたことは、いくら強調しても足りない。西洋史の全体像を把握するには、キリスト教圏の域内の出来事だけを追っているだけでは不十分で、東方のイスラム教圏を視野に入れなければならない。

近世（十六世紀─十八世紀）の世界史の表舞台は地中海ではない。地中海の両端のジブラルタル海峡を抜ければ大西洋であり、反対側の東端のスエズ地峡（後にスエズ運河開削）を抜ければ紅海・アラビア海からインド洋へと通じる。キリスト教圏は西の環大西洋に広がり、イスラム教圏は東の環インド洋に広がった。キリスト教圏とイスラム教圏の力学のダイナミズムは地中海から東西の広大な海原に拡大した。

もう少し言葉を足すと、環大西洋圏は、西アフリカがヨーロッパの勢力下に入り、アメリカ大陸はヨーロッパ移民が先住民をキリスト教へと改宗させ、キリスト教圏の色合いを濃くした。一方、環インド洋圏は、中東から東アフリカにかけてイスラム教が普及し、インド亜大陸はイスラム系ムガール帝国（一五二六―一八五八年）の支配するところとなり、マレー半島からインドネシアに至るまでイスラム教に染め上げられた。環インド洋圏は「海洋イスラム」となった。大西洋とインド洋との東西対抗は、西地中海と東地中海におけるキリスト教圏とイスラム教圏の拮抗の拡大版・相似形である。

中世はもとより近世を通じて、経済力はキリスト教圏よりイスラム教圏の方が上まわっていた。それは物産の流れを見れば分かる。物産はイスラム教圏からキリスト教圏へと流れ続けた。その見返りとしてヨーロッパは金銀を充てた。金銀は「海洋イスラム」の環インド洋圏（当時「東インド」と呼ばれた）へと流出した。金銀はやがて枯渇する。それゆえ、新たな金銀の産地を探すことはキリスト教圏では死活問題となった。大航海時代の幕開けの動機は金銀の産地を探すことであった。

コロンブスが到達して以後、中南米で発見された金銀と、先住民から略奪した金銀財宝は、大西洋の波濤を越えてヨーロッパに運ばれ、一部は同地に留まって価格革命（価格の暴騰）を起こしたが、大半は「海洋イスラム」へと流出した。物産は東から西へと流れ、金銀は西から東へ流れるという構造は、近世を通じて変わらない。キリスト教圏はイスラム教圏に対して巨大な貿易赤字を負い続けた（K. N. Chaidhuri, *Trading World of Asia and the*

English East India Company, 1660-1760, Cambridge, 1978)。

近世から近代へ移行を特徴づけるのは、キリスト教圏は「海洋イスラム」から徐々に離脱して、島国イギリスに世界史を新たに開く大西洋とインド洋を舞台にした海洋国家が勃興したことである。

キリスト教圏では、イスラム教圏への依存から脱却するために、海洋イスラムからの輸入物産、たとえば砂糖とコーヒーはアメリカに移植して自給化を図り、木綿はアメリカ大陸に自生していた長繊維の木綿を原料にし、それをイギリスに運んで加工してインド製品に似せた模倣品を国産化し、また労働力は西アフリカから奴隷としてアメリカに輸送し、大西洋を股にかけたアフリカ・アメリカ・ヨーロッパを結ぶ「三角貿易」でキリスト教圏域での自給化に動いた。それは次第に効果をあらわし、環大西洋の三大陸を結ぶ三角貿易を柱とする「環大西洋経済自給圏」が形成され、その帰結として、キリスト教圏はイスラム教圏への経済的依存から脱したのである。「脱亜（脱イスラム）」を決定的にしたのがイギリス産業革命である。イギリス産業革命で「最初の工業国家」が出現し、世界史は近世から近代へと移行した（P・マサイアス『最初の工業国家』第二版、日本評論社）。近世から近代への移行とは、それゆえ、脱アジア（脱イスラム）の過程であると総括できるのである。東方の海洋アジアからの自立はキリスト教圏のイスラム教圏への優越感を醸成した。しかし、両文明圏の軋轢はアメリカ合衆国を中心とする欧米諸国とＩＳ（イスラミック・ステイト）やイラン・イラクとの間の軋轢に見られるとおり、現代まで尾を引いている。

翻って、東アジアは独自の文明空間である。特に東北アジア三国（中国・韓国・日本）はキリスト教にもイスラム教にも染まらなかった。南宋（一一二七—一二七九年）から清代（一六一六—一九一二年）初期に沿岸の中国住民を内陸に移す遷界令（一六六一年）の頃まで、東シナ海・南シナ海は、その名の通り、華中・華南の中国商人が往来する海域である。東シナ海・南シナ海は、インド洋を「海洋イスラム」と形容したことと対比させると、「海洋中国」と呼ぶことができる。

海洋中国の経済圧力を最も受けたのは日本である。というのも、日本列島では、中世末期から近世にかけて、未曾有の金銀銅山の開発が進み、その産出高はアメリカで見出された金銀の産出量に勝るとも劣らなかった（小葉田淳『日本鉱山史の研究』岩波書店）。戦国時代から江戸時代初期の日本はまさに「黄金の国ジパング」であった。マルコ・ポーロが『東方見聞録』で「黄金の国ジパング」を伝えた十三世紀末の日本は、奥州の藤原三代の黄金文化が誇張して伝わり、それがフビライ・ハンの日本征服を企図した元寇の動機となった。それをマルコ・ポーロはフビライから直《じか》に聞いて、その話をヨーロッパ世界に伝えたのである。

コロンブスが航海に出た目的は、インド洋（当時「東インド」といわれた）がイスラムの勢力下にあり、その危険を避けるために西回りで「黄金の国ジパング」に到達することであった。結果的に、コロンブスは未知のアメリカ大陸（「西インド」といわれた）に到達した。大航海時代の幕開けをうながしたのは「黄金の国ジパング」の情報であったということである。

ヨーロッパ人が日本に初めて到達したのは十六世紀である。近世初期の日本にはポルトガル人、スペイン人、オランダ人、イギリス人が順次訪れたが、当時の日本は秀吉の「黄金の茶室」に象徴されるように、マルコ・ポーロの描いた通りの、世界トップクラスの金産国（銀産出高、銅産出高も世界トップクラス）であった。日本はヨーロッパ人の幻想の「黄金の国」から現実の「黄金の国」になった。西洋社会に日本が「黄金の国」として登場したことに変わりない。

日本が産出した金・銀・銅の大半は、中国物産（木綿・絹・砂糖・陶磁器・漢籍等）のほか、中国商人やオランダ人のもたらす東南アジア・南アジアの物産（鹿皮・香料・染料等）、さらに遠くはスペイン人が太平洋を横断（メキシコのアカプルコからフィリピンのマニラを結ぶ航路）してもたらしたアメリカ原産のイモ等の物産購入に充てられた。その見返りの日本産の金・銀・銅は「海洋中国」に流出したが、主な吸収先は中国である。銅銭は歴代中国王朝の公鋳であったが、明朝から日本銅への依存が高まり、清朝の黄金時代を築いた康熙帝時代の銅銭の原料はすべて日本銅であった。そのことから日本銅の中国への流出規模がいかに巨大であったかを推量できるであろう。

キリスト教圏が海洋イスラムからの経済圧力に対抗したのと同じように、日本では、金・銀・銅の流出を食い止めるため、正徳新例（一七一五年、海舶互市新例ともいわれる）を発令し、宮崎安貞『農業全書』『百姓伝記』（ともに岩波文庫）のほか、数多くの農書が刊行されて輸入品の国産化が推進された。八代将軍徳川吉宗（将軍在職一七一六―四五年）の国産化奨励策は十八世紀前半でも道半ばであったことを示している。それが成功するのは十九世紀である。それは「鎖国」という言葉が広まるのと軌を一にしている。

「鎖国」という用語は、志筑忠雄がケンペルの『日本誌』の一部を翻訳した一八〇一年に生まれた。それ以前は、日本の為政者は朝鮮王国と琉球王国とは「通信（外交の意）」、オランダと中国とは「通商（貿易の意）」の用語で捉えており、「鎖国」の観念をもっていなかった（R・トビ『近世日本における国家形成と外交』創文社）。名実ともなう「鎖国」の完成は十九世紀前半である。それは日本における自給経済圏の確立にほかならない。

もう少し具体的に言おう。十四世紀半ば前後からユーラシアは疫病（黒死病）の襲来に悩まされていた。ヨーロッパや中東では人口の三分の一が失われた。東アジアでは十四世紀に王朝の交代が起こり、元朝（一二七一―一三六八年）の末から明朝（一三六八―一六四四年）

の初期にかけて人口は半減したと推計されている（上田信『人口の中国史』岩波新書）。「十四世紀の危機」はユーラシアの東西全域に及んでいた。危機の原因は、気候の寒冷化が指摘されているが、最大の要因は黒死病の蔓延である。ヨーロッパと中東では黒死病に薬効があると信じられたのが胡椒・香辛料であった。それは海洋アジア、なかんずく東南アジアの島々の物産であったから、東南アジアの多島海にあらゆる民族が蟻集したのである。

貨幣素材の大量流出は二つの島国の経済を圧迫し、それへの対処としてイギリス政府は十八世紀初期には、例えばキャラコ（インド木綿）の輸入禁止法や使用禁止法を導入したが、密輸が横行し、根本的対策を迫られた。その処方箋になったのがアダム・スミスの『国富論』（一七七六年）である。アダム・スミスは、重商主義（商業）を脱却し、「見えざる手（神）」を信じて、個々人の自由な創意を尊重する「分業」による物づくりの有効性を説いた。それが現実の形になったのが世界最初のイギリス産業革命（the Industrial Revolution）である（P・マサイアス『最初の工業国家』小松芳喬監訳、改訂新版、日本評論社、一九九八年）。

日本も同じく金銀銅の流出に苦しんでいた。日本における物づくりを、産業革命との対比でいえば、「勤勉革命（industrious revolution）」（速水融《あきら》氏の命名）である（速水融「勤勉革命と産業革命」、速水編『歴史のなかの江戸時代』藤原書店、所収）。イギリス産業革命は資本集約・

労働節約型の物づくりであり、一方、日本勤勉革命は資本節約・労働集約型の物づくりという対照性がある。安く買って高く売る商業で富を獲得するのではなく、生産要素の土地・労働・資本を、それぞれの地政学的な有利な条件を生かして合理的に組み合わせ、物づくりによって国富づくりをしたのである。

イギリスは大西洋の彼方に獲得した新世界の土地は広大であったが、それに見合った労働力が不足していた。その不足を補うために、イギリスの産業革命は労働の生産性を世界一に引き上げた。逆に日本は土地が僅少で、戦国時代が終わって、刀を鋤・鍬・鎌に持ち替える人々が増え、労働力には恵まれた。日本の勤勉革命は、労働を集約し、肥料に工夫をこらし、土地の生産性を世界トップクラスに引き上げたのである。

産業革命と勤勉革命はほぼ同じ十八―十九世紀に進行した。両者を総称して私は「生産革命」ないし「物づくり革命」と呼んでいる。国産品をアジア物産よりも安価に生産することに成功したことによって江戸時代の日本は、イギリスに劣らぬ「経済社会」(速水融)になった。日英両国の生産革命の帰結はアジア物産の国産化=自給化である。

イギリスと日本を対比しておこう。東南アジアを中心に見ると、イギリスの受けた海洋圧力の源は東南アジアより以西の海洋イスラムであった。一方、日本の受けた海洋圧力の源は東南アジアより以東の海洋中国である。圧力から脱した方法は同じ物づくりである。

海洋アジアからの輸入品を国産化する「生産（物づくり）革命」によって圧力をはねのけたのであるが、日本は一国完結型の自給圏＝鎖国を完成させ、一方、イギリスは大西洋を股にかけたアフリカ、アメリカを結ぶ三角貿易の自給圏＝大西洋経済圏を形成した。こうしてキリスト教圏はイギリスを中核として海洋イスラムから自立して「脱亜（脱イスラム）」を遂げ、近代世界システムを構築した。日本は海洋中国から自立して鎖国することで「脱亜（脱中国）」した。これは「東アジア」域内の経済変動のメカニズムである。いずれも淵源は海洋アジアであるが、それぞれ独自の「歴史的時空」において、日本とイギリスには近代文明が誕生した。

胡椒・香辛料、木綿・絹、各種染料、陶磁器など、近代西洋社会の生活の基礎となった物産は海洋アジアとの交易を抜きに語ることはできない。東南アジアに世界のキリスト教、イスラム教、ヒンズー教、仏教、道教、儒教等が共在しているのは、それを奉じる諸民族が東南アジアに来航したからである。当時の東南アジア多島海では異なる諸民族の間では目立った戦争もなかった。交易が「自生的秩序」のもとに自由活発に行われ、いわば自由貿易を理想とする現代の世界経済の原型といえる。

日本とイギリスは、ウォーラーステインのいう「長期の十六世紀（日本の御朱印船の時代、ヨーロッパの大航海時代）」の時期に「海洋アジア」に入り込んだ。共有した場は「海洋アジア」

であり、そこからの離脱を通して近代文明は出現した。海洋中国から自立した日本の「鎖国」の成立と、海洋イスラムから自立したイギリスを核とする「大西洋経済圏＝近代世界システム」の形成とは、ともに脱・旧アジア文明として、文明史的意義は対等である。近代文明の母胎は海洋アジアにある。このような歴史像は大陸中国でも海洋中国の台湾でもしだいに注目されるところとなり、『文明の海洋史観』は、大陸中国では二〇一四年に上海文芸出版社から中国語訳が、台湾では二〇二〇年に八旗文化社から台湾語訳が出版されたことも付記しておこう。

四　海からの歴史観

近代文明の生成に関しては、マルクスの「唯物史観（階級闘争史観）」と梅棹忠夫氏の「文明の生態史観」とが戦後日本の主な歴史観であった。それらに対して、近代文明の淵源を海洋アジアなかんずく東南アジアに求める「文明の海洋史観」は、両者の歴史観をしりぞけるものである。

戦後京都学派の一翼をになった梅棹忠夫氏の令名は『文明の生態史観』（中公文庫）によるところが大きい。梅棹氏は、ユーラシア大陸の東北から南西にかけて斜めに走る乾燥地帯に隆盛した遊牧民が、隣接する湿潤地帯の農耕民を繰り返し侵略したことに示されるように、遊牧民の優位を説いた。農耕民が遊牧民を支配したのは稀であったが、遊牧民は農耕民をたびたび支配し王朝を建設した（楊海英『逆転の大中国史』文春文庫）。

では、遊牧社会はどのようにして成立したのであろうか。梅棹忠夫氏は、人類は野生植物の栽培化が農業文明を成立させたように、野生動物（有蹄類）に対して人為的操作（オスには去勢、メスには乳搾り）を施して家畜化する「牧畜革命」を遂行したと論じた。狩猟採集段階からの離脱を可能にした革命として農耕文明と遊牧文明とを二つ対等に並べたのである。また、工業文明の基盤は農業であったから、歴史家の目は農耕文明に傾きがちであったが、農耕社会重視の文明史像を相対化し、遊牧社会の存在を宣揚したのである（梅棹忠夫『狩猟と遊牧の世界』講談社学術文庫）。

梅棹忠夫氏は、日本は西ヨーロッパと文明史的に対等であるとみなした。極論すれば、日本はアジアではないという立場である。それを明確にするため、アジア地域を「第二地域」とし、日本と西ヨーロッパを「第一地域」として区別した。その根拠は日本と西ヨーロッパには遊牧民の暴力的破壊が及ばなかったことである。植生が邪魔されずに順調に遷移をとげて極相にいたるように、日本と西ヨーロッパには、分権的な封建制がうまれ、それが成熟し、近代文明を誕生させたと論じたのである。

一方、マルクスの思想は、二十世紀の世界の政治・経済のみならず、イデオロギー・思想・哲学を席巻し、社会主義・共産主義革命の嵐を巻き起こしたが、その基礎にある世界観は「唯物《ゆいぶつ》史観（史的唯物論）」である。

マルクスは『資本論』（第一巻、一八六七年。岩波文庫）に先だち、『経済学批判』（一八五九年、岩波文庫）を著し、「わたくしの研究にとって導きの糸となった一般的結論は、簡単につぎのように公式化することができる」として、「人間は、その生活の社会的生産において、一定の、必然的な、かれらの意志から独立した諸関係を、つまりかれらの物質的生産諸力の一定の発展段階に対応する生産諸関係を、とりむすぶ」（大内力他訳、以下同様）という記述ではじまる有名なテーゼを記した。いわゆる「唯物史観の公式」である。唯物史観の公式はこう結ばれている——「大ざっぱにいって、経済的社会構成が進歩していく段階として、アジア的、古代的、封建的、および近代ブルジョア的生産様式をあげることができる。……この社会構成（近代ブルジョア社会）をもって、人類社会の前史はおわりをつげるのである」（マルクス『経済学批判』の序言より）。マルクス主義者はアジア的専制→奴隷制→封建制→資本主義（近代ブルジョア社会）を経て社会主義・共産主義にいたるのはどこの地域もたどるべき「世界史の基本法則」であるというイデオロギーに染まった。

しかし、当のマルクスは晩年に「封建制から資本主義への移行」は西ヨーロッパに限定される、という結論に達していた。この点は強調するに値する。それは、ロシアの女性革命家ヴェラ・ザスーリッチに宛てた書簡の中に明確に記されている。ザスーリッチはロシアの現実にマルクスの理論が妥当するかどうかをマルクスに質問した。マルクスはそれに答えるために周到にロシア分析を試み、長い草稿を四編もしたためた後、最終的に短く次のように返事した――

「私の学説なるものにかんするあなたの疑問は、数行の説明で、十分一掃できるかと思われる。資本主義的生産の創世記を分析するにあたり、私は言った。『資本主義制度の発展の基礎は耕作民の収奪である。それが根本的な仕方でおこなわれたのはまだイギリスにおいてだけである。しかし、西ヨーロッパの他のすべての諸国も同一の運動を経過している』(『資本論』フランス語版)。だからこの運動の『歴史的宿命』は、はっきりと西ヨーロッパの諸国に限定されている。……だから『資本論』に示されている分析は、ロシアの共同体の生命力にかんする賛否いずれの議論にたいしても、その論拠を提供していない。」

(一八八一年、マルクス『資本主義的生産に先行する諸形態』手島正毅訳、国民文庫所収)

マルクスと梅棹忠夫氏は、西ヨーロッパと日本以外に封建制は成立しなかったとみなす見解で一致している。梅棹氏は、そのことを根拠に日本と西ヨーロッパとを同格と見なしたのである。

もう一つ共通点がある。梅棹氏の着眼はユーラシアの生態・気候であり、マルクスの着眼は生産・階級であり、前者は環境を偏重し、後者は人間を重視するので、一見、水と油のように見えるが、共通点は、陸地の歴史しか見ていないことである。封建制から資本主義への移行は、マルクスの見解では、封建制の領主・農奴の生産関係が、生産者を生産手段から引きはなす「原始的蓄積（本源的蓄積）」によって、資本家・労働者の生産関係へと変わるとする。農民は「血の立法」で暴力的に土地を奪われ、労働力以外に売るもののない無産者となり、無産者は都市に流れて労働者となって工場に縛りつけられた。これは陸上での出来事である。それゆえ陸地史観である。梅棹忠夫氏の生態史観は、日本についていて具体的に語るところはないが、大陸の乾燥地帯と湿潤地帯の生態の相異に着目した歴史観であり陸地史観である。この点が文明の海洋史観と明確に区別されるところである。

唯物史観も生態史観も、そのベースには学問《ディシプリン》ないし理論がある。文明の生態史観は、梅棹氏自身が「生態学的歴史観――つづめていえば生態史観」と述べているように、ベースは生態学である。厳密にいえば、梅棹が歩いたユーラシアのフィールドワークに基礎づけられている。また彼の天才的な文明の生態史観のモデル図の背景にはケッペンの気候論がある。一方、マルクスの唯物史観のベースは経済学である。マルクスはこう述べている――「ブルジョア社会の解剖は、これを経済学にもとめなければならない」(『経済学批判』序言)と。

文明の海洋史観も経済学にのっとっているが、マルクスとどこが異なるのかについて、『資本論』の冒頭の有名な一文を借りて、相異を際立たせておこう――

「資本主義的生産様式の支配的である社会の富は、『巨大なる商品集積』としてあらわれる。個々の商品はこの富の成素形態である。したがって、われわれの研究は商品の分析をもって始まる」(向坂逸郎訳)

商品分析は、マルクス経済学の要諦であり、私にとっても同様であるが、分析方法が異なる。冒頭のパラグラフにつづけてマルクスは、商品は交換価値と使用価値とからなるとし、使用価値を切り捨てた上で、交換価値の分析に集中した。そして、商品の交換価値の実体が労働量(労働時間で計測)であるとし、商品の生産過程で生まれる剰余労働を搾取する資本家と搾取される労働者という生産関係論へと筆を進めた。

マルクスの商品論（価値形態論）の論理を追っていくと、人間が生産現場で取り結ぶ階級関係に解消されていく。唯物論を標榜し、商品を分析すると宣言しつつ、行論の過程で、肝心の「商品」は抜け落ちて、人間（階級）論に解消している。

もう一つ、マルクスの価値論には重大な難点がある。マルクスは、商品同士の等価交換の原則のもとで「価値法則の貫徹」を説く。それは「一物一価の法則」ともいわれ、商品生産が支配的な社会では貫徹する。ところが、幕末開港後の日本の最大の貿易相手国はイギリスであったが、当時の日本の最大の商品であった木綿とイギリス最大の工業製品の木綿との間で、日本市場では（東アジア市場でも）価値法則は貫徹していない。英国の木綿製品は安いにもかかわらず売れず、国産品は高くても売れた。この事実を、マルクスはミッチェル報告書として知られる在中国のイギリス領事報告などでつかんでいたが、彼はそれを中国における商品経済の未発達（アジア的生産様式）に帰せしめた。それは単純な誤解である。

中国ではインド綿花に製造されたインド綿糸につづき、インド綿花で作られた日本綿糸や日本綿製品などが急速に市場を拡大した。商品経済は発達していたのである。私は明治期日本における日英の木綿商品の価格と品質を比較分析することで実証した（拙稿「明治前期における内外綿布の価格」、同「明治前期における内外綿関係品の品質」『早稲田政治経済学雑誌』二四四・

二四五合併号、二五〇・二五一合併号)。それはマルクス経済学の価値論を反証する事実である。

商品は、抽象的な存在ではなく、それを作り、それを使う人々の心がやどる衣食住の生活文化と不可分である。経済活動と生活文化とは不可分である。とすれば、経済と文化を一体的に論じる理論——経済文化論——が要請される。下部構造・上部構造というマルクスの用語を借りるならば、物産(商品)が下部構造となって、その上に文化の上部構造がそびえる、ともいえる。逆に、文化の価値体系が物の使い方を決めるという観点にたてば、文化複合は物産複合と照応している。マルクスの見捨てた商品の使用価値に着眼した価値論は、「唯物論」と区別するため「格物論《かくぶつろん》」と名づける。

なお、格物の用語は朱子学の古典『大学』の「格物致知。誠意正心。修身斉家。治国平天下」の文言に由来する。朱子学の格物致知論の目的は「経世済民」の政治経済政策である。しかしここでいう「格物論」の目的は——マルクスと「商品・資本論」と同様——近代文明の現状分析である。物に着眼するので「唯物論」といってもよいのであるが、マルクスの唯物論は肝腎の「物」を見失っているので、それと峻別するために、「格物論」と名づけるのである。それに応じた歴史観は「格物史観(史的格物論)」と名づけられる。

マルクスの唯物史観は、人間が歴史をつくるというドグマに立った人間決定論である。梅棹忠夫氏の生態史観は人間の生活は自然の生態に依拠するというドグマに立った環境決定論である。それぞれ人間中心主義、環境中心主義であるが、それらに対し、格物論は物に着目する。人間が生産した物は自然と人間との間にある。人間は「物を作る動物」であり「物を使う動物」である。生産された物は自然でも人間でもない。生産物は両者の間にある「中間的存在」である。生産物は人間社会のあるところには必ず存在する。そのような物産の集まりを社会の「物産複合」とよぶ。物には名前と用途があることから物産複合は「文化複合」と照応するのである。社会が変容するとき社会の文化・物産複合は変容する。逆も真であり、社会の物産複合が変容すれば、おのずから人間社会は変容する（拙著『経済史入門』日経文庫）。

世界最初の近代文明国家イギリスと、アジア最初の近代文明国家日本とは、いずれも島国であるから、海を存立条件にしている。島国では海外から舶来する文物によって社会の物産複合は劇的に変わる。島国のイギリスと日本を対象とする限り、格物史観は海洋史観でもある。たとえば、イギリスの場合、インド木綿の流入で、それまでの皮革や毛織物しかなかった衣料文化に「ファッション革命」が起こり、木綿を自給するために大西洋を股にかけた三角貿易をつくりあげ、繊維機械の発明などで産業革命を起こすなど、イギリス社会は大変貌を遂げた。日本の場合、柳田国男の「海上の道」の説はよく知られているが、海上の道（黒潮）にのって稲作文化が運ばれ、「縄文文化から弥生文化へ」と移行した。それと類似の発想に立つのが文明の海洋史観である。

物産複合の変容《メタモルフォーゼ》の核心をなす概念は「新結合《しんけつごう》」（シュンペーター『経済発展の理論』の核心概念）である。ただし、孤高の経済学者シュンペーター（一八八三―一九五〇年）はもっぱら新結合を遂行する主体である人間（企業者）に着目したのに対し、孤立気味の経済史家へイタは新結合される側の客体である物――正確には物の組み合わせの社会的・経済的・文化的変化――に着眼したのである。

マルクスとシュンペーターの経済理論には――当人には意識されていないが――ヨーロッパの精神文化の刻印が押されている。いわば人間中心主義である。その淵源はユダヤ・キリスト教の『旧約聖書』にあり、神は人間を「神の似姿」として造ったと説いており、この世では人間が頂点にたつ。他の被造物は人間に利用されるためにあるとする人間至上主義の世界観は、キリスト教・ユダヤ教圏では空気のように当たり前である。一方、日本では人は物と一体で「人物」である。物を「もったいない」「粗末にあつかわない」というように、物を大切にする態度は、マルクスは「物神崇拝《ぶっしんすうはい》」として唾棄したが、格物論では人はもとより物も大切である。格物論にたった歴史観（文明の格物史観）については最近著の川勝平太編『日本の中の地球史』（ウェッジ、二〇一九年）でその概要を記述した。

五　文明の秩序

イギリスと日本に出現した近代文明は、アジア文明圏から自立した脱亜文明として、対等の文明史的意義をもっているが、活動を七つの海に広げた海洋帝国イギリスと、箱庭のごとき「ヤポネシア」（島尾敏雄）の小さな島国日本では相異が際立っている。特に相異が際立つのは国際秩序観であり、その核心をなす軍備に対する態度である。

軍備は国の安全保障にかかわる。江戸時代の日本の平和は「パックス・トクガワーナ」（芳賀徹氏の命名、芳賀徹『文明としての徳川日本』筑摩書房）と形容されるが、イギリスのパクス・ブリタニカは、古代ローマのパクス・ロマーナと同様、軍事力に基づく世界支配を形容するもので、現代のパクス・アメリカーナもアメリカ合衆国の圧倒的軍事力の支配を示すものである。

世界史における武器の二大画期は鉄砲と核兵器であるが、鉄砲が拡大したように、核兵器も拡大してきた。新兵器が旧兵器に取って代わるのは武器の発達の鉄則のようにみえる。しかし例外があった。近世成立期（江戸初期）における日本の軍縮である。鉄砲を発明したのは中国であるが、それを改良し国力の増強に利用したのはヨーロッパ諸国である。日本への鉄砲伝来は一五四三（天文十三）年にジャンク船（中国船）に乗船していたポルトガル人が種子島に伝えた。それは教科書的知識だが、注目すべきはその後の経過である。鉄砲は戦国時代の日本中に広がり、長篠の合戦で知られる新戦術を生み、築城法も山間地の山城から、平地に堀を張り巡らせる平城《ひらじろ》へと劇的に変えた。安土・桃山時代の日本は、ヨーロッパのどの国にもまさる世界最大の鉄砲保有国であり軍事大国である。

秀吉の刀狩りは有名であるが、刀剣は取り上げられたが鉄砲は没収されず、江戸時代の日本の村々で、鉄砲は狩猟用・害鳥用などの用具として使われていた。しかし、銃弾による殺人は島原の乱以後、途絶えた。赤穂浪士の討ち入りも武器は刀・槍である。江戸時代の支配層の武士の間で鉄砲は軍需品としては顧みられなくなった。武士は刀剣の世界にいわば逆戻りした。ヨーロッパと日本とは鉄砲時代の幕開けを迎えながら、ヨーロッパは鉄砲の改良・使用・拡大による軍拡一途の道を進み、日本は鉄砲の放棄・削減による軍縮の道という対照的な道を歩んだ（ノエル・ペリン『鉄砲を捨てた日本人』中公文庫）。

日本では軍縮によって技術の発達が止まったのではない。火器の開発は稲富流砲術など細々と（ヨーロッパと比べれば）続けられたが、火薬の用途は弾薬から花火に転じ、夏の夜の風物詩となった。線香花火、両国の川開き大花火、大名花火、打ち上げ花火、岡崎の「金魚花火」など、花火技術が開発された。また、銅はヨーロッパでは大砲製造など軍需品に大量に用いられたが、日本では銅銭、寺院の寺鐘に用いられた。要するに平和利用に転じたのである。

なぜ、日本は軍縮の道を、ヨーロッパは軍拡の道を歩んだのであろうか。戦国時代の日本では夜討ち・強盗・下剋上・海賊行為は常態であった。ヨーロッパでも近世にいたるまで海に国際秩序は存在していない。大航海時代のヨーロッパ社会では商業・海賊・戦争は三位一体であった。ヨーロッパの国際秩序を構想したのはオランダ人のグロティウス（一五八三―一六四五年）である。グロティウスは『海洋自由論』で貿易・航海の国際的自由を主張したが、彼の名を不朽にした『戦争と平和の法』（一六二五年刊。邦訳、酒井書店）で知られる。

『戦争と平和の法』の執筆目的について、グロティウスは同書の序言において、論拠を神にではなく、自然法にもとめることを宣言し、「戦争を行ふについて、且つまた戦争に関して有効なる共通法が存在するといふ考察を確かめんとするところに、予が本書を著わさんとする多くの而して重要なる理由が存する」（一又正雄訳、以下同様）と述べている。文中の「戦争に関して有効なる共通法」が国際法に発展する。国際法は戦争と抱き合わせで誕生した。第一章は「戦争とは何か、法とは何か」と題され「本書に『戦争の法について』なる標題を附したわけは、（前にも述べたように）まづ第一に、何等か正しき戦争があるか、また戦争においていかなることが正しいか、ということを究明すること」と戦争の正当性を探るという執筆動機を再度明言し、第二章では「戦争を行なうことは、いかなる場合に正しきか」を、第三章では「公戦と私戦の区別」をテーマに国家主権について筆をすすめ、「公戦」とは「法権を有するものの権威によって行はれる」とした。要するに、グロティウスは交戦権を国家主権として認めたのである。

なぜグロティウスは戦争を公認したのか。『戦争と平和の法』の書かれたのは新旧キリスト教間の宗教戦争の三十年戦争（一六一八―四八年）のまっただ中である。戦争がまさに現実であったことが一因であろう。グロティウスの法理論は三十年戦争の終結をもたらした一六四八年のウェストファリア条約において適用され、現代に続く主権国家体制が誕生し、国家主権に交戦権を含む「国際法」が公認された。

一方、関ヶ原合戦に勝った徳川家康が征夷大将軍になったのは一六〇三年である。このとき、ヨーロッパでは「国際法」はまだ生まれていない。しかし国家統一を成し遂げた日本政府（徳川幕府）は国際関係をもたざるをえない。その国際関係を律する世界観と国際秩序が、そのときに存在すらしていなかったヨーロッパのものと異なったのは不思議ではない。

軍拡の戦国時代から軍縮の江戸時代への移行には、世界観のパラダイム・シフトがある。

江戸初期が戦国以前と決定的に異なるのは朱子学が国教とされたことである。近世朱子学の祖は藤原惺窩であるが、惺窩の『本佐録』の序「天下国家を治むる御心得の次第」いわゆる「治要七条」に記述された第一条は「太刀かたな」を用いず儒学が必要であるとし、第七条は「文武の二つ兼ねずんば、治まる事成り難し」と文治主義を説いている。惺窩門下の林羅山は朱子学者として家康・秀忠・家光・家綱の四将軍に仕えた。林羅山を祖とする林家主導の昌平坂学問所が創設され、各藩はそれを真似て藩校を設立し、武士層は朱子学を身につけた。

南宋の朱子（一一三〇―一二〇〇年）は四書（『大学』『中庸』『論語』『孟子』）と五経（『易経』『書経』『詩経』『春秋』『礼記』）を重んじたが、その中の根本経典の『大学』では「物に格《いた》れば（ないし物を格《ただ》せば）知を致すことになり、知を致せば意が誠になり心が正しくなる。意を誠にし心を正しくすれば身が修まる。身を修めれば家が斉《ととの》う。家を斉えれば国が治まり、国を治めれば天下が平和になる」と説いている。この世界観に立てば、統治の正当性の源泉は、力ではなく、徳である。軍事力による統治はなじまない。「君主の徳は政治をよくする根本である。政治の目的は民をよく養うことである」（『書経』）ともあり、徳治主義が政治の基本になる。

重要なことは、近隣の朝鮮王国も明・清中国も同じ世界観・国際秩序観を共有していたことである。もとよりその源泉は中国の中華意識にもとづく華夷関係である。中華としての権威を誇示する政治理念は「礼」である。中国の権威への「礼」を対外的に公認させるため東夷・西戎・南蛮・北狄に朝貢させて威光を知らしめた。それは「朝貢」と「冊封」という形式をとらせた。「朝貢」は中国の経済力の圧倒的な優位を示す不等価交換で、属国がもたらす朝貢品よりも、中国が与える回賜品の方が圧倒的に価値は高く量は多い。冊封は朝貢国君主に国王の称号を授ける儀礼であり宗主－属邦の関係の相互承認である。浜下武志氏はこの全体を「朝貢体制」と呼び、「歴史的な東アジアの地域秩序」「アジアの内在的地域秩序」であることを実証した。中国には海外の特産品や銀・銅の需要があり、その見返りに生糸や陶磁器を与えた。重要なことは「朝貢」の形式的手続きを踏まえさえすれば、中国と容易に民間の商売取引ができたことである。そのほか朝貢国やその周辺に交易・移民・送金のネットワークからなる「非組織ネットワーク」というべき地域間関係が存在しており、そこではジャンク貿易とともに中国からの移民もあった。海の神である媽祖に対する信仰は福建省に起源があり、対岸の台湾から移民とジャンク貿易とともに東南アジアに普及した。媽祖は民間人が海の神となった。東南アジア交易圏は東アジア交易圏とインド交易圏の中間にある（浜下武志『近代中国の国際的契機』東京大学出版会、同『朝貢システムと近代アジア』岩波書店）。

江戸時代の日本は朝貢をせず冊封も受けていない。徳川日本は自らを中華と任じ、華夷秩序の日本版を形にした社会であった。山鹿素行（一六二二—八五年）の『中朝事実』は日本を中華とみなす国際秩序観を典型的に表明した著作である。こうした国際秩序観は幕末まで存続し、夷狄を払う攘夷運動は自国を「華」とみなす意識と表裏のものである。華夷意識を考慮すると、一六三五年に制度化された「参勤交代」は、教科書的には大名統制策として説明されているが、その通りではあるが、その思想的背景は冊封と朝貢という国際秩序の国内版にほかならない。原則一年ごとに幕府に参勤するのは朝貢と異なるものではなく、参勤交代を通して各藩の藩主の統治を公認（冊封）したのである。

東アジアにおける国際関係は華夷秩序にもとづいており、徳川日本が「通信（外交）」関係をもった朝鮮王国（ならびに琉球王国）は、将軍の代替わりには「慶賀使」を派遣した。それは「朝鮮通信使」として知られるが、徳川幕府はそれを「朝貢」（ただし、朝鮮王国側からすれば使節による日本の国情視察）とみなしていた。

華夷の「華」は文明、「夷」は野蛮を意味する。江戸時代の日本人の世界観は中国の華夷すなわち「文明と野蛮」の世界観に由来する。一方、ヨーロッパの「戦争と平和」の世界観はイスラム教圏の「ダール・アルイスラム（平和の家）」と「ダール・アルハルブ（戦争の家）」の世界観に淵源をもつ。

このように、日本とヨーロッパの世界観・国際秩序観はともに旧アジア文明圏に由来しており、脱亜の過程で歴史的に別々に形成された。それぞれに長所と短所がある。イスラム由来の「戦争と平和」と中国由来の「文明と野蛮」において、人類にとってのマイナスなのは、前者では「戦争」であり、後者では「野蛮」である。両者を否定し、人類社会にとってプラスの「平和」と「文明」とを体現した新しい文明を構築することはできるであろう。かつて「文明と野蛮」の世界観を自家薬籠中のものにし、また明治維新で旧来の江戸社会を「親の敵《かたき》」(福沢諭吉)として切り捨て、ヨーロッパの「戦争と平和」の世界観に乗り換えて、それをものしたのが日本である。

戦前期の近代日本は「戦争と平和」のうち「戦争」に傾斜した国柄であった。戦後の現代日本は「平和」に傾斜した国柄になっている。二十一世紀の日本は、人類社会の「平和な文明」の実現ために、両方の世界観を否定的に媒介しながら止揚できる世界史的位置にあるといえるのではないか。

* 本稿は二〇一八年十一月の京都の日独文化研究所(哲学者の大橋良介氏が所長)主催の公開講演の記録である拙稿「近代文明の生成と海」(『文明と哲学』第12号、日独文化研究所、二〇二〇年所収)に加筆したものである。

付記——聞けば、今年は藤原書店の創立三十周年に当たる由、その節目の年に本書の新版増補を記念企画の一つに選ばれた社主・藤原良雄氏の厚意は有り難く、鬼籍に入った本書関係者への供養となるとともに、編者冥利につきる。藤原書店は、過去三十年間、使命感をもって多くの良書を世に送り、内外の知性で江湖を潤してきた。平和な世の中をつくるには高い見識と良識すなわち学徳に裏打ちされた文化力が不可欠である。これまでの良書群の出版を寿ぎ、これからのさらなるご発展を執筆者一同とともに祈念いたします。

二〇二〇（令和二）年　初秋

編者識

シンポジウム
地中海 を読む
山内昌
家島彦
石井米
浜

『地中海』（全5分冊）完結
海から見た歴史
主催
鈴木

A Maritime View of History

Second Edition
ed. by Heita KAWAKATSU

Contents

家島彦一（やじま・ひこいち）
1939年生まれ。慶應義塾大学で東洋史学を学ぶ。東京外国語大学アジア・アフリカ言語文化研究所教授，早稲田大学特任教授を経て，現在，東京外国語大学名誉教授。専攻はイスラム社会文化史，東西交渉史研究。7世紀に始まるイスラム世界の形成と展開の諸過程を「交通・商業」の面から研究。1971年以来，インド洋・アラビア海におけるダウ船貿易の実地調査を継続し，インド洋海域世界の歴史に注目する。主著に『イスラム世界の形成と国際商業――国際商業ネットワークの変動を中心に』（岩波書店）『海が創る文明――インド洋海域世界の歴史』（朝日新聞社）など。

石井米雄（いしい・よねお）
1929～2010年。東京外国語大学を中退して外務省に入る。京都大学東南アジア研究センター所長，上智大学教授，神田外語大学学長，人間文化研究機構機構長，国立公文書館アジア歴史資料センター長を歴任し，京都大学名誉教授，神田外語大学名誉教授。文化功労者。専攻はタイを中心とする学際的地域研究。主著に『上座部仏教の政治社会学』（創文社）『インドシナ文明の世界』（講談社）。編著に『講座東南アジア学4　東南アジアの歴史』（弘文堂），共編著に『東南アジア世界の歴史的位相』（東京大学出版会）など。他に，アユタヤ港市政体論に関する論文が多数ある。

浜下武志（はました・たけし）
1943年生まれ。東京大学大学院で東洋史学を学ぶ。東京大学東洋文化研究所所長，京都大学東南アジア研究センター教授，龍谷大学教授を歴任し，現在，静岡県立大学グローバル地域センター センター長・特任教授，東京大学名誉教授。中国を中心とした東アジア・東南アジアに広がる朝貢貿易の歴史的役割に注目する。1991～92年，米国コーネル大学東アジア・プログラム客員研究員。主著に『中国近代経済史研究』（汲古書院）『近代中国の国際的契機』（東京大学出版会）。共著に『〈新版〉アジア交易圏と日本工業化1500-1900』（藤原書店）。他に，華人・華僑史，香港上海銀行史に関する論文がある。

網野善彦（あみの・よしひこ）
1928～2004年。東京大学文学部史学科卒。日本中世史・日本海民史を研究。名古屋大学，神奈川大学日本常民文化研究所・同経済学部特任教授を歴任。日本の歴史研究の中で，周縁・民衆・海などの視点から歴史を見直すことに早くから注目した。主著に『中世荘園の様相』（塙書房）『蒙古襲来』『日本論の視座』『日本社会再考』（小学館）『無縁・公界・楽』『異形の王権』（平凡社）『中世東寺と東寺領荘園』（東京大学出版会）『日本中世の民衆像』『日本中世の非農業民と天皇』（岩波書店）『東と西の語る日本の歴史』（そしえて）『中世再考』（日本エディタースクール出版部）のほか，『網野善彦著作集』全19巻（岩波書店）が刊行。共編著に『日本民俗文化大系』『海と列島文化』（小学館）など多数。

●執筆者紹介（執筆順）

イマニュエル・ウォーラーステイン（Immanuel Wallerstein）
1930～2019年。1976年から，ニューヨーク州立大学社会学講座主任教授およびフェルナン・ブローデル・センター所長を兼任。アフリカ学会会長，アメリカ社会学会理事を歴任した。1977年8月，季刊『レヴュー』を発刊。主著に『近代世界システムⅠ～Ⅳ』『資本主義世界経済Ⅰ・Ⅱ』（名古屋大学出版会）『ポスト・アメリカ』『脱＝社会科学』『アフター・リベラリズム』『新しい学』『知の不確実性』『入門・世界システム分析』（藤原書店）など。編著に『叢書・世界システム』（藤原書店刊行中）。

鈴木 董（すずき・ただし）
1947年生まれ。東京大学大学院法学政治学研究科修了。法学博士。1972～75年，イスタンブル留学。東京大学東洋文化研究所教授を経て，現在，東京大学名誉教授。専攻は，オスマン帝国史，比較史・比較文化。主著に『オスマン帝国の権力とエリート』（東京大学出版会）『オスマン帝国』『文字世界で読む文明論』（講談社現代新書）『食はイスタンブルにあり――君府名物考』『オスマン帝国の解体――文化世界と国民国家』（講談社学術文庫）『文字と組織の世界史――新しい「比較文明史」のスケッチ』『大人のための「世界史」ゼミ』（山川出版社）など。

二宮宏之（にのみや・ひろゆき）
1932～2006年。東京大学文学部西洋史学科卒。東京外国語大学教授，電気通信大学教授，フェリス女学院大学教授を歴任し，東京外国語大学及びフェリス女学院大学名誉教授。専攻はフランス社会史。わが国で最も早くから，アナール派の仕事に着目し，紹介及び研究に従事。また，ル＝ロワ＝ラデュリ，シャルチエらアナール派第3，第4世代と交友があった。主著に『全体を見る眼と歴史家たち』（平凡社ライブラリー）『歴史学再考』（日本エディタースクール出版部）。共編著に『〈新版〉叢書・歴史を拓く――アナール論文選』全4巻（藤原書店）。訳書にルフェーヴル『革命的群衆』（創文社）ル＝ゴフほか『歴史・文化・表象――アナール派と歴史人類学』（岩波書店）。

山内昌之（やまうち・まさゆき）
1947年生まれ。北海道大学文学部卒業。学術博士（東京大学）。カイロ大学客員助教授，ハーバード大学客員研究員，東京大学教授・中東地域研究センター長，明治大学特任教授を経て，現在，武蔵野大学特任教授，東京大学名誉教授，ムハンマド5世大学（モロッコ）特別客員教授。また，国家安全保障局顧問会議座長，教育再生実行会議委員，横綱審議委員なども務める。最近では，天皇の公務の負担軽減等に関する有識者会議，戦後70年首相談話懇談会のメンバーなども務めた。紫綬褒章，司馬遼太郎賞，吉野作造賞，毎日出版文化賞（2回），サントリー学芸賞などを受ける。主著に『中東国際関係史研究』（岩波書店）『大日本史』（共著，文春新書）『将軍の世紀』（文藝春秋，2021年刊行予定）など。

編者紹介

川勝平太（かわかつ・へいた）

1948年生まれ。静岡県知事。専攻・比較経済史。早稲田大学大学院で日本経済史，オックスフォード大学大学院で英国経済史を修学。D.Phil.（オックスフォード大学）。早稲田大学教授，国際日本文化研究センター教授，静岡文化芸術大学学長などを歴任し，2009年7月より現職。

著書に『日本文明と近代西洋――「鎖国」再考』（NHKブックス），『富国有徳論』『文明の海洋史観』（中公文庫），『「美の文明」をつくる』（ちくま新書），『経済史入門』（日経文庫），『日本の中の地球史』（編著，ウェッジ），『アジア太平洋経済圏史1500-2000』（編著）『「東北」共同体からの再生』（共著）『「鎖国」と資本主義』（藤原書店），共編著に『アジア交易圏と日本工業化1500-1900』（新版，藤原書店），*Japanese Industrialization and the Asian Economy*（Routledge），*Asia Pacific Dynamism 1550-2000*（Routledge）など多数。

〈増補新版〉

海《うみ》から見《み》た歴史《れきし》――ブローデル『地中海《ちちゅうかい》』を読《よ》む

1996年 3 月30日　初版第 1 刷発行
2020年11月10日　増補新版第 1 刷発行©

編　者　川 勝 平 太

発行者　藤 原 良 雄

発行所　株式会社　藤 原 書 店

〒162-0041　東京都新宿区早稲田鶴巻町523
電話　03（5272）0301
FAX　03（5272）0450
振替　00160-4-17013

印刷・製本　新藤慶昌堂

落丁本・乱丁本はお取替えいたします　Printed in Japan
定価はカバーに表示してあります　ISBN978-4-86578-289-9